Cet odieux chantage

CATHY WILLIAMS

Cet odieux chantage

Traduction française de
JEAN-BAPTISTE ANDRE

Collection : Azur

Titre original :
THE WEDDING NIGHT DEBT

HARPERCOLLINS FRANCE
83-85, boulevard Vincent-Auriol, 75646 PARIS CEDEX 13
Service Lectrices — Tél. : 01 45 82 47 47

www.harlequin.fr

ISBN 978-2-2803-6323-5 — ISSN 0993-4448

1.

Le *divorce*. Un drame qui n'arrivait qu'aux autres ;
ceux qui ne prenaient pas soin de leur couple ; ceux qui
ne comprenaient pas qu'un mariage requérait des efforts
et demandait à être abordé avec les mêmes précautions
que de la porcelaine fine.

En tout cas, c'était ce que Lucy avait toujours cru.

Alors pourquoi attendait-elle son mari dans le salon de
l'une des plus belles résidences de Londres, précisément
dans le but de lui expliquer qu'elle voulait divorcer ?

Elle baissa les yeux sur sa montre incrustée de diamants,
l'estomac noué par l'angoisse. Dio arriverait dans moins
d'une demi-heure. Où avait-il passé la semaine, déjà ?
A New York ? A Paris ? Ils avaient des appartements
dans les deux villes. A moins qu'il ne se soit offert une
escapade dans leur villa de l'île Moustique, en compagnie
d'une autre femme… ?

Par habitude, elle réprima l'élan d'auto-apitoiement
qui l'assaillait. En un an et demi de mariage, elle avait
amplement eu le temps de s'habituer à la destruction de
ses illusions romantiques : elle ne perdait plus de temps
à se lamenter sur son sort.

Lorsqu'elle redressa la tête, Lucy aperçut son reflet
dans l'immense miroir qui dominait le salon — un
mètre soixante-quinze, fine comme une liane, de longs
cheveux qui tombaient en ondulations dorées sur ses
épaules. Lorsqu'elle avait été repérée à l'âge de seize

ans par une agence de mannequins, son père avait tenté de la convaincre d'accepter leur offre. Pourquoi gâcher un joli minois ? « Sois belle et tais-toi » résumait sa vision des femmes. Lucy avait résisté, mais à quoi cela lui avait-il servi ? Malgré son diplôme en mathématiques appliquées, elle ne valait guère mieux qu'une plante verte dans cette immense maison.

Un soupir de dépit lui échappa. Elle ne reconnaissait pas celle qu'elle était devenue. En cette chaude soirée de juillet, elle languissait en pantalon de soie ample, perchée sur des talons hauts, les poignets alourdis par des bracelets hors de prix. Elle était devenue une vraie « femme de Stepford », moins le mari aimant qui rentrait tous les soirs à 17 h 30 et demandait ce qu'il y avait pour dîner. Sa vie était d'un vide sidéral.

Ou plutôt, elle l'avait été jusqu'à récemment, corrigea-t-elle avec un sourire. Sa situation avait changé ces deux derniers mois, et elle se raccrocha farouchement à cet espoir ténu qui lui faisait presque oublier les longues heures passées à jouer les potiches, à sourire jusqu'à en avoir mal aux joues et à distraire les invités de son mari.

Un divorce ferait d'elle une femme libre, si du moins Dio ne lui mettait pas de bâtons dans les roues. Elle voyait mal pourquoi il s'y opposerait, toutefois elle éprouvait une étrange appréhension à l'idée de lui parler. Dio Ruiz était un homme au sang chaud, un mâle alpha qui était parti de rien et avait atteint les sommets. Il était aussi l'homme le plus sexy et le plus intimidant qu'elle avait jamais vu.

Malgré cela, elle refusait de se laisser impressionner. Elle se le répétait depuis plusieurs jours, plus exactement depuis qu'elle avait décidé du chemin à prendre au prochain croisement de son existence : celui qui l'emmènerait le plus loin possible de son mari !

Bien sûr, Dio ne soupçonnait rien. Et Lucy savait que

lorsqu'il rencontrait un obstacle inattendu, la modération n'était pas sa première qualité. C'était bien ce qui l'inquiétait…

Son cœur bondit lorsqu'elle entendit la porte d'entrée claquer. Elle ne se retourna que quand elle sentit la présence de son mari électriser l'atmosphère du salon. Même aujourd'hui, en dépit de la haine qu'elle lui vouait, sa beauté lui coupait le souffle.

A vingt-deux ans, lorsqu'elle l'avait vu pour la première fois, elle avait cru défaillir. Il était si séduisant que c'en était presque injuste. Sous son épaisse tignasse d'ébène, des yeux d'un gris métallique observaient le monde avec une arrogance mêlée de cynisme. Sa peau cuivrée témoignait de ses origines latines, tout comme son tempérament explosif. Il projetait l'image d'un homme dont il valait mieux ne pas se faire un ennemi. Ceux qui avaient décidé d'ignorer l'avertissement l'avaient payé cher. Pourquoi une telle beauté avait-elle été accordée à un cœur aussi noir ?

Dio s'avança dans le salon en tirant sur sa cravate.

— Qu'est-ce que tu fais ici ? Je croyais que tu étais à Paris.

Surprise ! En effet, il était rare qu'il se trouve sans une raison précise dans la même pièce qu'elle. Leurs rencontres étaient formelles, tendues, organisées à l'avance. Lorsqu'ils étaient à Londres, leur vie était une succession d'engagements mondains. Ils se préparaient dans leurs appartements respectifs et se retrouvaient dans l'entrée, prêts à donner au monde l'image du couple uni et parfait qu'ils n'avaient jamais été. A l'occasion, Lucy l'accompagnait à Hong Kong, New York ou Paris. Elle était l'épouse parfaite : belle, élégante, éduquée.

Il abandonna sa cravate sur le canapé de cuir blanc

et contourna lentement Lucy avant de s'arrêter devant elle, sourcils froncés.

— Alors ? demanda-t-il en défaisant les premiers boutons de sa chemise. A quoi dois-je ce plaisir ?

Elle frémit lorsqu'une enivrante note de vétiver lui caressa les narines. Elle se força à sourire et à ne pas fixer le triangle de peau mate que révélait sa chemise entrouverte.

— Je perturbe tes plans pour la soirée ? demanda-t-elle, impassible.

— Mes plans, comme tu dis, consistent à lire un rapport financier particulièrement ennuyeux sur une société que j'envisage d'acquérir. Que croyais-tu que j'allais faire ?

— Je ne sais pas, répondit Lucy avec un haussement d'épaules. J'ignore comment tu occupes ton temps quand je ne suis pas là.

— Tu veux que je te fasse un compte rendu de mes activités ?

— Pas le moins du monde. Je m'en moque complètement. Mais avoue qu'il aurait été embarrassant que tu arrives avec une femme à ton bras, conclut Lucy avec un rire forcé.

Les choses entre eux n'avaient pas toujours été aussi difficiles. Au début, elle avait même été assez naïve pour croire que Dio s'intéressait à elle. Il l'avait régalée d'anecdotes sur ses années d'université et les tours qu'il avait joués avec ses amis. Captivée, elle l'avait écouté parler de tous les endroits qu'il avait visités. Son père avait encouragé cette relation, une nouveauté pour elle qui semblait vouée à le décevoir quoi qu'elle fasse — jusqu'alors, il avait critiqué le moindre de ses choix, dans tous les domaines. L'inattendue approbation paternelle n'avait fait qu'aiguillonner l'enthousiasme de Lucy.

Si elle n'avait pas été si occupée à tomber amoureuse,

elle aurait compris que cette bénédiction cachait quelque chose. Mais elle avait préféré ne pas s'interroger et, lorsque Dio l'avait demandée en mariage après l'avoir courtisée pendant quelques mois à peine, elle avait cru défaillir de joie. Il l'aimait tellement qu'il ne pouvait pas attendre ! s'était-elle imaginé. Jamais elle ne s'était sentie aussi désirée.

Désirée, tu parles ! Lucy se demandait parfois combien de temps aurait perduré sa vision idéaliste de l'existence si elle n'avait pas surpris cette fameuse conversation, le soir de son mariage. Elle se rappelait ces quelques heures comme si c'était hier. Elle flottait sur un petit nuage, excitée à la perspective de sa lune de miel aux Maldives avec Dio, et plus encore par celle de perdre enfin sa virginité, et dans les bras de l'homme le plus sexy du monde s'il vous plaît !

Ne trouvant pas son mari, elle était partie à sa recherche dans les jardins, parmi les invités qui dansaient, s'enivraient ou discutaient en petits groupes. Ses pas l'avaient amenée vers les cuisines, puis jusqu'au bureau de son père. Elle s'était arrêtée en reconnaissant, à travers la porte, le timbre profond de la voix de celui-ci.

Un mariage arrangé… Une simple transaction… Dio avait acheté l'entreprise de Robert Bishop pour un montant symbolique et pris ses dettes à son compte. Lucy avait été jetée dans la balance pour faire bonne mesure. Ou peut-être son père avait-il vu ce mariage comme un moyen de s'assurer que Dio tiendrait parole : il serait dorénavant lié à la société familiale par un lien plus fort que l'argent.

Bref, Lucy servait de garantie. Et comme son père l'avait fait valoir quand elle s'était confrontée à lui, plus tard, Dio s'était acheté une respectabilité que sa fortune n'avait pu lui procurer. Tout le monde était gagnant.

Tout le monde sauf elle…

Lucy, en l'espace de deux heures, était devenue adulte. Le pire, c'était qu'elle ne pouvait pas faire machine arrière, lui avait appris son père. Voulait-elle la mort de leur entreprise ? Apparemment, les affaires n'avaient pas été florissantes ces dernières années, et Robert avait été forcé « d'emprunter » de l'argent çà et là. Si quelqu'un s'apercevait de ces détournements de fonds, il risquait la prison. Etait-ce ce qu'elle voulait, voir son propre père derrière les barreaux ?

Face au fait accompli, Lucy avait décidé de ne pas ruer dans les brancards. Elle avait évité la prison à son père en s'enfermant à sa place, même si ce n'était pas entre quatre murs. Mais elle avait résolu, puisque c'était le seul domaine où elle exerçait encore un semblant de contrôle, que son mariage ne serait rien de plus qu'un morceau de papier : Dio et elle ne coucheraient pas ensemble. S'il pensait l'avoir achetée corps et âme, il déchanterait.

Elle avait donc mis ses rêves en boîte, avait fermé cette dernière à double tour et avait jeté la clé. Voilà où elle en était aujourd'hui.

Dio s'efforçait de masquer sa surprise et son agacement.

— Il y a un problème avec l'appartement de Paris ? demanda-t-il. Tu veux un verre ? Quelque chose pour fêter notre présence imprévue dans la même pièce ? Quand est-ce arrivé pour la dernière fois ?

Il connaissait la réponse : avant leur mariage, à l'époque où elle l'avait séduit tout en lui laissant croire que c'était le contraire.

Il se dirigea vers le bar, ressassant les événements qui les avaient conduits à cet ersatz de mariage. Il avait longtemps convoité la société que dirigeait Robert Bishop. Au fil des années, il avait assisté à sa descente aux enfers, aux dettes qui s'accumulaient. Comme tout bon prédateur, il avait attendu son heure — la vengeance n'est-elle pas un plat qui se mange froid ?...

Lucy avait été le grain de sable dans cette mécanique bien huilée. Dès qu'il avait posé les yeux sur cette fée à la beauté éthérée, il avait succombé à son charme. Son intention avait été de coucher avec elle pour se la sortir de la tête avant de conclure l'affaire avec son père. Les choses ne s'étaient malheureusement pas passées ainsi. D'abord, elle avait refusé de lui céder. Et après quelques semaines en sa compagnie, il s'était rendu compte qu'il désirait bien davantage que quelques nuits avec elle.

Un an et demi plus tard, leur mariage était un champ de ruines. Au lieu de détruire l'entreprise de Robert Bishop et d'envoyer ce dernier en prison, Dio avait sauvé la société de la faillite — tout ça pour faire plaisir à Lucy. Certes, il avait gagné une belle somme au passage, et avait éjecté son beau-père du conseil d'administration en ne lui laissant que le minimum pour vivre. Mais il avait quand même l'impression d'avoir été roulé dans la farine, charmé par l'ingénuité de Lucy Bishop. Quand elle l'avait regardé de ses grands yeux graves, le menton dans le creux de sa paume, il avait cru découvrir le secret de la vie éternelle. Elle s'était glissée en lui comme une drogue dans ses veines. Son père et elle avaient eu ce qu'ils voulaient, alors que lui n'avait pas obtenu ce qu'il désirait.

Lucy secoua la tête pour lui signifier qu'elle ne voulait rien boire, mais il l'ignora.

— Détends-toi, dit-il en lui mettant un verre de vin dans les mains.

Puis il alla se poster près de la fenêtre d'où il l'étudia en silence tout en sirotant un whisky. Elle avait été très claire, dès leur nuit de noces, sur la nature de leur mariage : ils ne coucheraient pas ensemble, ils n'apprendraient pas à se connaître. Dio ne lui avait pas demandé ce qu'elle savait ou à quel point elle avait été mêlée aux machinations de son père. Elle l'avait dupé et c'était tout ce qui comptait.

Il ne lui était jamais venu à l'idée d'avoir une discussion franche avec elle. Et puis nul ne pouvait accuser Lucy de ne pas être la femme parfaite. Elle avait même le physique de l'emploi, avec ses longs cheveux blonds et cet air d'innocence qui détonnait avec sa sophistication. Elle attirait naturellement les gens et leur inspirait confiance, ce qui profitait aux affaires de Dio. Il ne comptait plus les contrats qu'il avait conclus plus facilement parce qu'elle était là. A plus d'une reprise, il avait songé qu'elle avait manqué une carrière d'actrice. On lui aurait donné le bon Dieu sans confession.

— Si tu n'es pas à Paris, je suppose qu'il y a un problème à l'appartement ? Tu sais que je ne m'occupe pas de la gestion courante de mes propriétés. C'est ton travail.

Lucy se raidit. *Son travail.* C'était le rêve de toute jeune femme, songea-t-elle avec ironie. Un mariage tellement dénué de sentiments qu'il ne pouvait être décrit que comme un emploi !

— Il n'y a pas le moindre problème à Paris. J'ai juste décidé…

Elle but une gorgée de vin pour se donner du courage avant d'achever :

— … que nous devions parler.

— Parler ? De quoi ? Ne me dis pas que tu veux une nouvelle augmentation. A moins que tu n'aies vu quelque chose qui te fasse envie ? Une maison en Italie ? Un appartement à Florence ? Achète-le, conclut-il en terminant son whisky d'un trait. Tant que je peux m'en servir pour mes affaires, je n'y vois pas d'inconvénient.

— Pourquoi diable voudrais-je acheter une maison, Dio ?

— Que veux-tu alors ? Des bijoux ? Un tableau ? Quoi ?

L'air d'indifférence blasée de son cher époux hérissa Lucy. C'était encore pire que d'habitude… En général, ils arrivaient à se montrer polis durant les rares moments qu'ils étaient obligés de passer en tête à tête, comme lorsqu'ils prenaient un taxi pour se rendre à une soirée.

— Je ne veux rien acheter.

Elle se mit à arpenter la pièce, en proie à une intense agitation. Comme toutes leurs autres résidences, celle-ci était décorée avec un goût impeccable de meubles, d'œuvres d'art et de bibelots hors de prix. Tout était fait main dans les matériaux les plus précieux. Son mari ne rechignait pas à la dépense, et la mission de Lucy était de s'assurer que tout était à sa place, propre, en parfait état de marche. Dio séjournait parfois dans ses résidences quand il voyageait, ou les mettait à la disposition de clients importants. Il était essentiel que ces derniers en repartent satisfaits et impressionnés.

— Dans ce cas, reprit-il, si tu allais droit au but ? Comme je te l'ai dit, j'ai du travail.

— Et bien sûr, si tu avais su que je t'attendais, tu ne serais pas rentré.

Dio se contenta de hausser les épaules, la laissant tirer ses propres conclusions

— J'ai l'impression, reprit Lucy après une profonde inspiration, que les circonstances ont changé entre nous depuis la mort de mon père, il y a six mois.

Dio se figea et reposa son verre vide sans quitter sa femme des yeux. De son point de vue à lui, le monde était un endroit bien plus agréable sans Robert Bishop plus *honnête*, en tout cas. Il ignorait ce que sa femme en pensait. Elle n'avait pas pleuré à ses funérailles, mais les énormes lunettes noires qui lui mangeaient le visage l'avaient empêché de lire ses émotions.

— Qu'est-ce que tu veux dire, au juste ?

— Que je ne veux plus être enchaînée à toi.

— Tu es aussi « enchaînée », comme tu le dis, à un mode de vie que bien des femmes envieraient.

— Dans ce cas, laisse-moi partir et trouve-toi une de ces femmes, répliqua Lucy, les joues brûlantes de colère. Tu seras plus heureux et moi aussi.

Cette bombe lâchée, Lucy s'assit lourdement et croisa les jambes, refusant d'affronter le regard de son mari. Même après de longs mois d'hostilité, il éveillait toujours ce désir étrange et sournois au fond d'elle-même. Elle avait tout fait pour l'éradiquer, en vain. Par quelle perversion était-elle attirée par un homme qui s'était servi d'elle pour s'acheter une respectabilité ? Elle n'avait été qu'un jouet, un instrument entre ses mains ; elle le détestait depuis l'instant où elle l'avait compris. Comment, dans ce contexte, pouvait-il la faire frémir d'excitation dès qu'il posait ses yeux gris sur elle ?

— Tu parles de divorce ? demanda-t-il après s'être éclairci la voix.

— Je parle d'officialiser ce qui est une réalité depuis trop longtemps. Notre mariage est une gigantesque plaisanterie. Il n'existe que sur le papier. Je ne suis même pas sûre de comprendre pourquoi tu m'as épousée.

Mais bien sûr, elle le savait — Robert Bishop avait veillé à ne rien laisser dans l'ombre. Dio voulait davantage que son entreprise, il voulait grimper dans l'échelle sociale. Pourquoi, Lucy n'en avait pas la moindre idée. Et elle ne lui avait jamais posé la question. Il était humiliant de penser qu'il ne l'avait épousée que pour les quelques portes qu'elle pouvait lui ouvrir.

— Tu aurais pu acquérir les parts de mon père sans m'épouser, poursuivit-elle, bravant son regard glacial. Je sais qu'il espérait éviter la prison grâce à ce mariage,

16

mais rien ne t'obligeait à exiger que je fasse partie du contrat.

— Et qu'aurais-tu ressenti si ton cher papa était allé en prison ?

— Personne ne souhaite la prison à un membre de sa famille.

C'était une réponse étrange, mais Dio décida de la laisser passer. Il était dérouté par la tournure que prenait cette soirée, même s'il le cachait.

Lucy l'avait séduit, puis avait refusé de consommer leur mariage une fois qu'elle avait obtenu ce qu'elle désirait. Et maintenant que son père était mort, elle s'imaginait qu'il allait lui accorder sa liberté en toute impunité ?

— C'est vrai, un père en prison, ça fait mauvais effet, ricana-t-il, récupérant son verre pour le remplir de nouveau. Dis-moi une chose, Lucy, que penses-tu de l'utilisation… *créative* que ton père a faite du fonds de retraite de sa société ?

— Il ne m'a jamais révélé les détails de cette affaire, marmonna-t-elle, gênée.

De fait, elle n'avait rien su des malversations de Robert Bishop, jusqu'à cette conversation fatidique surprise le soir de son mariage. Et la question que Dio aurait mieux fait de lui poser, c'était ce qu'elle pensait de son père. Elle lui aurait répondu sans hésiter que ce dernier avait passé sa vie à la rabaisser, elle qui avait eu l'audace de naître fille alors qu'il désirait un fils. Robert Bishop était un rustre, un macho qui considérait les femmes comme des êtres de seconde catégorie, y compris sa propre épouse. Agatha Bishop avait été tout aussi malheureuse que sa fille, jusqu'à sa mort précoce d'un cancer à l'âge de trente-huit ans. Elle avait supporté sans broncher les humiliations d'un mari buveur, joueur, séducteur impénitent. A l'époque, il aurait été mal vu de divorcer. Souffrir en silence avait été le lot de bien des femmes.

Lucy avait fait de son mieux, au fil des années, pour éviter son père. La chose n'avait pas été trop difficile, puisqu'elle avait été envoyée en pension à l'âge de treize ans. Mais elle n'avait jamais cessé de le haïr pour les souffrances qu'il avait infligées à leur famille.

Elle n'avait pas pour autant voulu le voir finir en prison. Un tel dénouement aurait souillé la mémoire de sa mère. Lucy avait été prête à tout pour lui éviter une humiliation supplémentaire, fût-elle posthume.

Dio dévisagea sa femme, se demandant quelles nouvelles machinations emplissaient sa jolie tête. Son épouse avait quelque chose de mystérieux et attisait sa curiosité comme aucune femme avant elle.

— Laisse-moi dissiper les zones d'ombre, déclara-t-il. Ton père s'est servi pendant des années dans le fonds de retraite de sa société, jusqu'à ce qu'il ne reste plus rien. Je suppose qu'il avait un problème de boisson ?

Lucy acquiesça, la mine grave. Si elle n'avait pas été témoin des pires excès de son père, elle se rappelait ses hauts faits, notamment une sortie de route sur l'autoroute à 3 heures du matin.

— C'était un alcoolique, poursuivit Dio. Un alcoolique assez malin pour dissimuler ses malversations. J'ai dû renflouer la société de ma poche, sans quoi ses salariés auraient fini à la rue à l'âge de la retraite.

— Pourquoi as-tu fait ça ? Je veux dire : pourquoi avoir acheté une entreprise qui perdait de l'argent alors que tu étais déjà multimillionnaire ?

Dio se rembrunit. C'était une longue histoire — une histoire qu'il n'avait pas la moindre envie de raconter à Lucy.

— Parce qu'elle avait du potentiel, répondit-il. Et mon intuition a payé. J'ai déjà gagné beaucoup d'argent dans cette affaire. Et puis combien de sociétés en faillite sont-elles accompagnées d'un bonus tel que toi ? Quel homme fait de chair et de sang pourrait y résister ? Ton père ne demandait pas mieux que de t'offrir comme monnaie d'échange.

Il la vit rougir, et les yeux de Lucy se mirent à briller comme si elle allait pleurer. L'espace d'un instant, il regretta presque sa remarque perfide et cruelle. *Presque.*

— Sauf que je n'ai pas eu ce que je voulais, n'est-ce pas ? reprit-il d'une voix neutre. Tu m'as séduit, tu m'as rendu fou avec cet art consommé de la dérobade qui me forçait à prendre une douche froide tous les soirs. Puis, le jour de notre mariage, tu m'as aimablement informé que tu ne coucherais pas avec moi.

— Je… Ça ne s'est pas passé comme ça, protesta-t-elle.

Mais elle comprit pour la première fois comment Dio avait pu se méprendre sur ses intentions.

— Tu me pardonneras de ne pas te croire, rétorqua-t-il.

Dio constata avec surprise que son verre était de nouveau vide. Il résista à l'impulsion de s'en servir un troisième, même si ce n'était pas l'envie qui lui manquait.

— Ton père et toi avez concocté un plan habile, et je me suis fait avoir comme un bleu.

— C'est faux !

— Une fois votre but atteint, tu as tombé le masque. Et maintenant, tu parles de divorce. La justice ne peut plus atteindre ton père, tu n'as donc plus à prendre de précautions, je suppose.

Dio inclina la tête de côté comme un désagréable soupçon lui traversait l'esprit pour la première fois. Que faisait-elle de son temps pendant ses nombreuses absences ? Evidemment, il aurait pu la faire suivre, mais il n'y avait jamais songé. Jusqu'à présent, il n'avait pu imaginer qu'une femme aussi glaciale puisse avoir un amant. Mais elle n'avait pas toujours été aussi froide…

Et ce divorce soudain ? Etait-il motivé par la mort de son père, ou par quelque chose — ou *quelqu'un* — d'autre ?

Sans crier gare, un accès de rage le frappa en plein plexus, l'empêchant momentanément de respirer. Voyait-elle quelqu'un dans son dos ? Le doute était maintenant logé comme une écharde sous sa peau.

— Nous méritons mieux que ça, tous les deux, soupira-t-elle.

— Oh ! comme c'est gentil de ta part de penser à moi, railla Dio.

Il la ferait suivre dès le lendemain, résolut-il en son for intérieur. Peut-être comprendrait-il mieux d'où venait cette idée de divorce.

— Inutile d'être sarcastique, Dio.

— Sarcastique, moi ? Non, voilà ce à quoi je pensais...

Il marqua une pause, feignant de réfléchir à ce qu'il allait dire.

— Tu te rends compte que si tu pars, ce sera sans rien ?

— Comment ça ?

— Tu as signé un contrat de mariage particulièrement strict, même si je me demande maintenant si tu l'as lu. A mon avis, tu avais tellement hâte de me passer la corde au cou que tu aurais signé n'importe quoi.

Lucy se rappelait en effet avoir signé un document interminable et ennuyeux. Elle décida d'ignorer son accusation — elle savait qu'elle ne gagnerait rien à protester de son innocence. Dio s'était fait son idée sur son compte et n'en démordrait pas. L'important, c'était de briser le lien qui les attachait l'un à l'autre. Après cela, elle ne le reverrait plus jamais. Une sensation de déchirement lui tordit l'estomac, mais elle la réprima impitoyablement.

— Je suis riche et je protège mes intérêts, poursuivit son mari, le regard fixé sur elle comme un laser. Voici les termes que tu as acceptés : l'entreprise de ton père m'appartient du sol au plafond. Juste récompense, vu que je l'ai sauvée de la faillite et ses employés d'un destin tragique, tous deux causés par l'incompétence et à la malhonnêteté de ton père.

Lucy baissa les yeux, emplie de honte. Elle étudia ses ongles vernis — quel bonheur ce serait de ne plus avoir à les entretenir… Elle se promit mentalement d'organiser, une fois qu'elle serait libre, une cérémonie de destruction de tous les produits de beauté qui encombraient sa salle de bains.

Dio fronça les sourcils en voyant un demi-sourire apparaître sur les lèvres de sa femme. Qu'est-ce qui l'amusait ? Que lui cachait-elle ?

— Tant que nous sommes ensemble, lui rappela-t-il, tu peux dépenser sans compter.

— Sous réserve que je soumette mes achats à ton approbation, tu veux dire ?

— T'ai-je jamais refusé quoi que ce soit ?

— Je n'achète que des vêtements, des bijoux et des accessoires. Et si je le fais, c'est pour pouvoir jouer le rôle qui m'a été assigné. Tu n'as jamais eu de raison de refuser.

Dio haussa les épaules et fit mine d'étouffer un bâillement.

— C'est ton choix. Tu peux t'offrir des voitures de sport, si tu veux. Ça ne fait pas la moindre différence à mes yeux.

Lucy se rembrunit et croisa les bras sans répondre. L'espace d'un court instant, Dio envisagea de lui accorder son divorce, avant de chasser cette idée saugrenue de son esprit. Pourquoi, il n'en avait aucune idée. Il n'était pas un homme possessif qui s'agrippait à une femme juste parce qu'elle lui échappait. Il avait obtenu sa vengeance et avait pris le contrôle de la société de Robert Bishop, même s'il avait dû épargner ce dernier. A quoi bon s'accrocher à Lucy et à un mariage vide de sens ?

A ceci près qu'elle n'était pas n'importe quelle femme.

Lucy était *sa* femme, pour le meilleur et pour le pire. Or jusqu'à présent, il n'avait connu que le pire.

— Si tu pars, dit-il d'une voix dure, tu n'emporteras que les vêtements que tu as sur le dos.

Lucy pâlit. *Touchée.* Elle n'était pas attachée à l'argent, mais elle devait admettre qu'elle n'en avait jamais manqué. Comment vivrait-elle ? Rien dans son existence ne l'avait préparée à la dure réalité du marché de l'emploi. Elle n'avait même pas eu le temps de faire la formation d'enseignante qui l'intéressait, à cause de son mariage express avec un homme qui ressemblait de plus en plus à son père.

— Je m'en fiche, murmura-t-elle.

— Oh non, tu ne t'en fiches pas. Tu ne saurais même pas par où commencer pour trouver un travail.

— C'est faux.

— C'est vrai. Tu es née avec une cuillère en argent dans la bouche. Et à l'âge où les autres filles se lancent dans le monde, tu m'as épousé.

Lucy ne répondit rien, mortifiée. Elle voyait, à l'éclat dur de son regard, que Dio était prêt à la mettre à la porte sans le sou. Et il avait raison : même si elle s'était confrontée récemment au monde réel, il lui faudrait un certain temps pour prendre ses repères. Comment survivrait-elle dans l'intervalle ? Elle était sûre que Dio ne la laisserait pas emporter ses bijoux.

— Je vois que tu commences à comprendre que j'ai raison. Si tu veux divorcer, tu as le choix. Sois tu pars sans rien, soit…

Lucy se raidit, méfiante, quand il s'interrompit. Quelque chose lui soufflait qu'elle n'allait pas aimer la suite. Mais elle n'avait pas d'autre choix que lui poser la question, n'est-ce pas ?

— Je suis tout ouïe, Dio. Soit *quoi* ?

2.

Dio sourit et se détendit, tel un prédateur sûr que sa proie ne pouvait lui échapper. Tôt ou tard, il leur faudrait affronter la question de leur mariage. Il ne savait d'ailleurs pas pourquoi il avait attendu si longtemps, lui qui était homme à prendre les choses en main.

Avait-il espéré que Lucy fondrait peu à peu ? Elle n'en avait rien fait au cours des dix-huit mois qu'ils avaient passés ensemble. Ils avaient même réussi l'inimaginable : un mariage fonctionnel, émotionnellement stérile mais professionnellement productif. Lucy le complétait à merveille, opposant à ses manières conquérantes et brutales une douceur qui donnait souvent des résultats spectaculaires. Il n'était pas né nanti, lui, et avait pour habitude de conquérir sans pitié ce qu'il convoitait. Sa jeune femme, plus policée, lui avait appris à arrondir les angles. Entre la crainte qu'il provoquait et l'adoration qu'inspirait Lucy, ils formaient une équipe de tous les diables.

Peut-être était-ce pour cela qu'il avait jusqu'alors refusé d'aborder les trop nombreuses questions en suspens. En homme pratique, il avait choisi de ne pas briser un partenariat qui, tout bancal qu'il soit, fonctionnait. Ou alors — et cette idée lui déplaisait — il était assez fat pour s'être imaginé que Lucy finirait par céder à son charme… Une chose était sûre : il ne s'était pas attendu à ce qu'elle demande le divorce !

Après une hésitation, il se servit un troisième verre et prit place dans un fauteuil confortable avant de reprendre :

— Quand nous nous sommes mariés, je n'imaginais pas que ma femme déciderait d'habiter dans une autre aile de la maison. Ce n'est pas très romantique, tu ne trouves pas ?

— Tu n'es *pas* romantique, Dio ! Alors arrête ton numéro. Tu n'es pas le genre d'homme qui rêve d'avoir une famille, un chien, un jardin et un monospace pour emmener tout le monde en vacances.

— Qu'est-ce qui te fait dire ça ? demanda l'intéressé avec un sourire en coin.

— Mon sixième sens.

Un sixième sens qui n'avait pas empêché Lucy de tomber amoureuse de lui… Elle s'était perdue dans ce regard gris acier, s'était laissé séduire par sa voix grave aux accents traînants. Elle avait ignoré les avertissements de sa raison pour n'écouter que son cœur.

— Même si je n'ai jamais rêvé de me marier, ça ne veut pas dire que je comptais faire chambre à part avec ma femme.

Lucy s'empourpra, mais se força à affronter le regard dur de Dio.

— Nous sommes donc tous les deux mécontents de la situation actuelle, fit-elle valoir.

— Inutile d'analyser notre mariage. C'est un exercice futile à ce stade. Nous parlions de tes options. Tu veux divorcer ? Très bien. Je ne peux pas t'empêcher d'aller trouver un avocat et de lancer une procédure. Bien sûr, comme je te l'ai dit, tu partiras sans le sou, une perspective effrayante pour quelqu'un qui n'a jamais manqué de rien.

— Il n'y a pas que l'argent dans la vie.

Dio sourit devant l'angélisme d'une telle affirmation. Pour avoir grandi nécessiteux, il savait parfaitement que l'argent ouvrait bien des portes. Grâce à la fortune qu'il avait amassée depuis, il avait acquis une liberté absolue. Il pouvait faire ce qu'il voulait, quand il voulait.

— L'expérience m'a montré que les gens qui tiennent ce genre de discours sont précisément ceux qui n'ont pas de problèmes financiers, asséna-t-il. Ceux qui en ont, en revanche, adoptent une approche plus… pragmatique du sujet.

— Je veux juste dire que l'argent ne fait pas le bonheur, corrigea Lucy.

Et quoi de mieux que sa propre enfance pour en témoigner ? Elle n'avait jamais manqué de rien, mais elle avait été profondément malheureuse.

— Imagine un instant quitter cette maison pour aller vivre dans un studio avec des murs humides et des cafards. C'est ce dont tu as envie ?

— Tu ne crois pas que tu exagères un peu ?

— Londres est une ville hors de prix. Je suppose que tu as quelques économies, mais combien de temps te permettront-elles de tenir ?

— Dans ce cas, je quitterai Londres.

— Pour aller à la campagne ? Tu as vécu dans la capitale toute ta vie. Tu es habituée à aller au théâtre, au cinéma, à visiter des expositions. Je te propose une solution où tu pourras divorcer *et* continuer de profiter de tout ça.

— Laquelle ?

— Je veux que tu me donnes ce que tout mari est en droit d'attendre de sa femme.

Il fallut quelques secondes à Lucy pour enregistrer les propos de Dio, comme si son esprit refusait d'en comprendre le sens.

— De quoi parles-tu ?

Il leva un sourcil ironique.

— Ne me dis pas qu'avec un diplôme en mathématiques, tu es incapable d'additionner deux et deux ? Je veux ma lune de miel, Lucy.

— Je… je ne comprends pas, bredouilla-t-elle, incapable de quitter des yeux le beau visage de son mari.

— Bien sûr que si, tu comprends. Je ne m'attendais pas à une relation platonique quand je t'ai épousée. Tu veux que je t'accorde le divorce ? D'accord, dès que nous aurons réglé ce que nous avons laissé en suspens.

— C'est du chantage ! se récria Lucy.

Elle ne savait que penser. Elle avait tant attendu une nuit de noces qui n'était jamais venue. Et voilà qu'il la lui offrait, mais à un prix inacceptable.

— L'offre est sur la table. Libre à toi de la prendre ou de la laisser. Mais si nous consommons ce mariage, tu repartiras avec assez d'argent pour vivre confortablement jusqu'à la fin de tes jours.

— Pourquoi me demandes-tu une chose pareille ? Je ne t'attire même pas !

— Viens là et je serai ravi de te prouver à quel point tu te trompes.

Lucy se garda bien de lui obéir. Le désir qu'elle avait si profondément refoulé au cours des derniers mois explosa quand elle avisa l'expression qui brûlait dans les yeux de son mari. Mais coucher avec lui en échange de sa liberté ? Jamais ! C'était un pacte avec le diable.

Après avoir assisté au naufrage du mariage de ses parents, Lucy s'était promis de ne donner son corps qu'à un homme qui l'aimerait. Voilà pourquoi, dès l'instant où elle avait compris la véritable nature de sa relation avec Dio, elle avait décidé de lui refuser ce qu'elle avait de plus précieux. Elle avait au moins la consolation de ne pas avoir trahi ses principes.

Il quitta son fauteuil pour s'approcher de l'endroit où elle se tenait, près de la fenêtre.

— Ce sera l'affaire de quelques semaines, murmura Dio.

Il suivit la courbe de la joue de Lucy d'un doigt caressant. Elle frissonna. Il sentait qu'il ne la laissait pas indifférente, mais c'était bien la seule chose dont il était sûr. Elle était la femme la plus énigmatique qu'il avait jamais rencontrée. Il ne savait jamais ce qu'elle pensait.

— De… de quelques semaines ? répéta Lucy d'une voix qu'elle reconnut à peine.

Paralysée par la sensation de la peau de son mari contre la sienne, elle osait à peine respirer. Ses seins s'étaient alourdis et poussaient douloureusement contre la dentelle de soutien-gorge. Une chaleur moite se diffusait dans son bas-ventre et lui donnait envie de frotter les jambes l'une contre l'autre pour soulager la tension qui montait en elle.

Dio fit un dernier pas en avant pour se plaquer contre elle. Cette fois, Lucy ne pouvait plus douter qu'il la désirait : l'érection impressionnante qui pointait contre sa hanche en attestait bien plus sûrement que des mots. Il entrouvrit les lèvres, et elle comprit, à la façon dont son regard s'assombrit, qu'il allait l'embrasser.

Elle plaça une main sur son torse en une tentative pitoyable pour l'arrêter. Mais elle n'exerça aucune pression, comme si une partie d'elle-même qu'elle ne contrôlait pas aspirait à ce baiser. Et lorsque les lèvres de Dio trouvèrent les siennes, elle referma les doigts sur sa chemise avec un soupir d'aise. Leurs langues se mêlèrent en une danse érotique qui provoqua une série de déflagrations au creux de son ventre. Leur brève période de séduction, avant leur mariage, avait été chaste. Ce baiser en était l'exact opposé — sexuel, animal, conquérant.

La main de Dio glissa sous son haut pour envelopper l'un de ses seins, possessive et brûlante. Quand ses doigts pincèrent doucement leur pointe bourgeonnante, Lucy se demanda un instant si elle n'allait pas défaillir. Ou arracher la chemise de son mari pour lui lécher le torse, une pensée qui l'horrifia en même temps qu'elle l'excita.

Enfin, Dio se détacha d'elle. Il fallut à Lucy quelques secondes pour prendre pleinement conscience de ce qui venait de se passer.

— Que… qu'est-ce que tu fais ? bredouilla-t-elle en portant une main tremblante à ses lèvres. Tu es devenu fou ?

— Au contraire. Je voulais juste te donner un avant-goût de ce qui nous attend si tu acceptes mon offre.

Non sans satisfaction, Dio nota la rougeur qui infusait les joues de son épouse, ainsi que la façon pudique dont elle avait croisé les bras sur sa poitrine. Il savait maintenant qu'il n'avait pas imaginé les regards de convoitise posés sur lui qu'il avait surpris au cours des mois passés.

— Je n'ai pas l'intention de coucher avec toi contre de l'argent ! s'emporta-t-elle.

— Pourquoi pas ? Tu m'as épousé pour mon argent. Coucher avec moi te permettra au moins d'y prendre du plaisir.

— Je ne t'ai pas épousé pour ton argent !

— Je n'ai pas envie d'en discuter. Je t'ai donné le choix, tu n'as plus qu'à te décider.

Sans attendre sa réponse, il tourna les talons et se dirigea vers la porte.

— Attends ! lança-t-elle.

Dio se figea, puis prit tout son temps pour se retourner.

— Oui ?

— Pourquoi ? demanda Lucy, comme en détresse.

— Pourquoi quoi ?

— Pourquoi est-ce si important que je couche avec toi ? La majorité des femmes ne demandent qu'à te tomber dans les bras, et j'imagine que tu en as profité. Alors pourquoi moi ?

Dio ne répondit pas aussitôt. Il savait ce qu'elle pensait : qu'il passait son temps à la tromper. Elle n'avait jamais formulé l'accusation directement, mais il avait remarqué son expression quand il parlait à une autre dans une soirée. Il avait plus d'une fois senti sa jalousie et n'avait rien fait pour la rassurer.

Cependant, il n'avait pas touché une femme depuis leur mariage. Tromper Lucy ne lui avait même pas traversé l'esprit. L'être humain était programmé pour désirer ce qu'il ne pouvait avoir, or ce que Dio ne pouvait avoir, c'était sa propre épouse. Elle était donc celle qu'il désirait le plus au monde. CQFD.

— Je... je ne peux pas, reprit Lucy d'une voix sourde. Je préfère contracter un petit emprunt auprès de toi, que je te rembourserai dès que possible.

— Que tu me rembourseras comment ?

— Je... j'ai une ou deux idées.

Dio fronça le sourcil en la voyant détourner le regard. Il avait de nouveau l'impression qu'elle lui cachait quelque chose. « Quand le chat n'est pas là, les souris dansent. » A quoi s'était donc employée cette souris-là derrière son dos ?

— Quel genre d'idée ? insista-t-il.

— Oh ! rien d'important. Le fait est que nous serons plus heureux l'un sans l'autre. Et si je pouvais t'emprunter un peu d'argent...

— Lucy, c'est de *beaucoup* d'argent dont tu auras besoin si tu veux vivre à Londres.

— De l'argent que tu n'as pas envie de me prêter, même si tu as ma parole que je te rembourserai ?

— A moins que tu n'aies décroché un poste de direction dans une grosse entreprise ou un emploi dans la finance, je ne vois pas comment tu pourras jamais me rembourser quoi que ce soit.

— Tu crois que ça fera bon effet si ta femme en est réduite à faire la manche dans le métro ?

— Qui exagère, maintenant ? Evidemment, tu partiras avec un peu plus que tes vêtements sur le dos, concéda-t-il. Mais tu constateras qu'il n'est pas facile de renoncer à un mode vie tel que le tien. A moins que tu n'aies trouvé quelqu'un pour s'occuper de toi… ?

Dio savait qu'il faisait preuve de faiblesse en posant la question, mais il n'avait pu s'en empêcher.

— Les hommes riches ne m'intéressent pas, répondit-elle avec un haussement d'épaules. Et t'épouser n'a fait que confirmer tous mes préjugés sur leur compte.

Il leva les yeux au ciel — il n'avait jamais rien entendu d'aussi hypocrite de toute sa vie. Il décida néanmoins d'ignorer la remarque de Lucy.

— Je sais que tu t'imagines que l'argent est la chose la plus importante au monde, reprit celle-ci, et…

— Je ne me rappelle pas avoir dit une chose pareille, l'interrompit-il.

— Tu l'as plus ou moins dit. Je sais que tu penses que je ne survivrai pas une semaine sans tes millions…

— … mais tu as soudain très envie de me prouver le contraire, n'est-ce pas ?

Dio baissa les yeux sur les lèvres brillantes de son épouse. Quelque chose en elle avait toujours attisé son désir. L'harmonie de ses traits, la perfection de ses courbes ? Il n'aurait su le dire exactement, mais elle le captivait. Dès qu'il était avec elle, il avait du mal à ne pas la dévorer du regard.

Il n'oubliait pas pour autant qu'elle avait fait échouer en partie ses plans : il n'avait pas détruit Robert Bishop et son entreprise, qu'il avait même sauvée. Après dix-huit mois passés avec Lucy, il se méfiait donc de son charme comme d'une fleur empoisonnée. Il n'en demeurait pas moins que son parfum mystérieux l'attirait, d'autant plus qu'il savait maintenant mutuelle cette fascination.

— J'essaie juste de te dire qu'il n'y a personne d'autre dans ma vie, affirma-t-elle. Et surtout pas un homme riche.

— Quelle vertu… Tu as fait vœu de pauvreté, maintenant ? Je pense que tu vas déchanter rapidement.

Dio regarda sa montre. Bon sang ! il aurait dû se mettre au travail depuis longtemps. Mais son rapport financier pouvait attendre, après tout. Il ne se sentait pas capable de se concentrer.

— Je ne sais pas pour toi, mais je meurs de faim, annonça-t-il. Si nous devons poursuivre cette conversation, il faut que je mange.

— Tu étais sur le point de partir, lui rappela Lucy.

— C'était avant que tu ne m'exposes ta nouvelle vision de la vie, laquelle m'intrigue au plus haut point…

Dio se dirigea vers la cuisine, forçant Lucy à lui emboîter le pas. C'était la première fois qu'ils se parlaient autrement que pour échanger des banalités, et elle s'en trouvait troublée.

Elle connaissait bien la cuisine : c'était là qu'elle supervisait les traiteurs qui s'occupaient de leurs soirées. Et lorsque Dio était en voyage, soit presque en permanence, elle y prenait souvent ses repas, attablée avec un livre au grand comptoir de marbre. Mais elle n'y avait jamais vu son mari. Sa présence dans la pièce avait quelque chose d'incongru.

Il regarda longuement autour de lui, comme s'il y entrait pour la première fois de sa vie, ou qu'il essayait de s'orienter en milieu hostile. En d'autres circonstances, son désarroi palpable aurait été comique. Puis il se gratta la nuque avec une grimace penaude.

— Je suis ouvert à toute suggestion.

— A propos de quoi ? s'enquit Lucy.

— De ce que nous pourrions manger, par exemple.

— Comment comptais-tu faire si je n'avais pas été là ?

Dio continua de la dévisager avec la même intensité. Lucy contourna prudemment le plan de travail pour se réfugier derrière. Le seul fait de regarder ses lèvres lui rappelait leur baiser et provoquait une brûlure d'excitation entre ses cuisses.

— J'ai les numéros de deux excellents chefs dans mon répertoire, répondit-il enfin. Ils s'occupent de résoudre ce genre de problème gastronomique. Ceci dit, ça n'arrive pas souvent. Si je suis seul, je mange en ville. C'est plus facile.

— Vas-y, commande ce que tu veux à tes deux chefs, alors. Quant à moi, je… euh…

— Tu as déjà mangé ?

— Non. Je n'ai pas faim.

— Je ne te crois pas. Ne me dis pas que tu es mal à l'aise à la perspective de dîner en tête à tête avec moi ? Nous sommes mariés, après tout.

— Je ne suis pas mal à l'aise ! mentit Lucy. Pas le moins du monde.

— Dans ce cas, que suggères-tu ? Parce que je reconnais bien volontiers que le contenu de tous ces placards est un mystère pour moi. Tout ce que je sais, c'est qu'il y a un excellent vin blanc dans le réfrigérateur.

— Tu me demandes de te cuisiner quelque chose ?

— Puisque tu le proposes si gentiment, qui suis-je pour refuser ?

Avec un sourire insolent, Dio tira une chaise et s'y installa.

— J'espère ne pas insulter tes instincts féministes. Parce que, si c'est le cas, je serai ravi de te remplacer aux fourneaux.

— Tu ne sais pas cuisiner, lui rappela-t-elle.

— Comment le sais-tu ?

Lucy ne put empêcher une note de mélancolie d'entrer dans sa voix comme elle répondait :

— Tu me l'as dit. Autrefois.

— C'est vrai.

Elle secoua la tête, quelque peu déroutée. Ce n'était pas du tout la façon dont elle s'était imaginé cette soirée. Elle avait cru que Dio se mettrait en colère, pas parce qu'elle voulait le quitter, mais parce qu'elle était la première à le dire. Au lieu de cela, il lui avait offert un marché inattendu. Et maintenant, elle s'apprêtait à lui faire à dîner. La situation était surréaliste.

Avec un soupir, elle ouvrit quelques placards et sortit de quoi préparer un plat de pâtes simple mais goûteux. Cuisiner la détendait, toutefois il lui était difficile de faire abstraction de la présence de Dio, dont les yeux suivaient le moindre de ses mouvements.

— Tu as besoin d'un coup de main ? demanda-t-il quand elle posa une casserole un peu plus vivement que nécessaire sur le fourneau.

Elle se tourna vivement, sourcils froncés.

— Qu'est-ce que tu sais faire ?

— Couper des choses en rondelles. Enfin, je crois.

Il se leva et s'approcha d'elle, envahissant soudain son espace intime. Lucy se crispa pour réprimer un frisson d'excitation avant de se reprendre. Depuis que Dio avait parlé de coucher avec elle, elle ne pensait plus qu'à cela. Les longs mois passés à se répéter qu'elle le détestait semblaient n'être qu'un lointain souvenir.

Après avoir cru qu'il s'était servi d'elle, elle était stupéfaite de constater qu'il la désirait. Elle l'avait senti dans son baiser, et surtout dans l'érection qui avait palpité contre elle. Un filet de sueur coula entre ses seins à cette seule pensée.

Avec un sourire crispé, elle poussa un oignon et quelques tomates vers lui, puis lui indiqua où trouver une planche et un couteau.

— La plupart des femmes aimeraient avoir ton mode de vie, déclara Dio après avoir travaillé quelques minutes en silence.

— Tu veux dire passer de maison en maison pour s'assurer qu'il n'y traîne pas un grain de poussière susceptible d'offenser l'un de tes clients ?

— Depuis quand es-tu adepte du sarcasme ?

— Je ne suis pas sarcastique.

— Oh ! ne t'arrête pas. Ça m'intrigue.

— Tu m'as dit que la plupart des femmes envieraient mon mode de vie, je te réponds simplement que ce n'est pas le cas.

— Tu serais surprise de ce que sont prêtes à supporter bien des femmes tant qu'on y met le prix.

— Je ne suis pas l'une d'entre elles.

Lucy fit un pas de côté — ils étaient décidément trop proches à son goût. Elle s'employa à mélanger les ingrédients nécessaires à sa sauce dans une poêle, surveillant son mari du coin de l'œil.

Dio se demandait s'il n'aurait pas dû s'intéresser un peu plus à sa superbe épouse, essayer de découvrir quel genre de femme elle était. Non, il le savait : elle était le genre qui complotait avec son père et qui l'avait épousé pour sauver l'entreprise familiale. Et elle avait atteint son but.

— Je ne sais pas ce que tu prépares, mais ça sent bon, déclara-t-il.

Lucy rougit, ridiculement touchée par ce compliment inattendu.

— J'aime cuisiner quand je suis seule.

— Tu cuisines alors que tu n'aurais qu'à téléphoner pour te faire livrer ?

Il paraissait si sincèrement désarmé que Lucy ne put s'empêcher d'éclater de rire. Dio se rappelait ce rire, qu'il n'avait pas entendu depuis longtemps. Il avait quelque chose d'un peu rauque, comme si Lucy essayait de toutes ses forces de le réprimer. C'était un rire qu'il avait autrefois trouvé séduisant, idiot qu'il était.

— Alors, commença Dio lorsqu'ils se retrouvèrent assis devant un plat de pâtes fumant, si nous portions un toast à un événement rare ? Je crois que toi et moi n'avons jamais dîné ensemble dans cette cuisine depuis notre mariage.

Lucy but une gorgée de vin, nerveuse. La situation lui échappait de plus en plus. Avec combien d'autres femmes Dio avait-il dîné pendant cette période ? En refusant de coucher avec lui, elle avait dû le jeter dans les bras de nombreuses prétendantes. Il était évident qu'un homme tel que lui devait avoir une solide libido.

A aucun moment elle ne l'avait interrogé sur la façon dont il employait ses nuits lorsqu'il était à l'étranger. Mais la curiosité la dévorait. Elle s'en voulait pour cela, tout comme elle s'en voulait de s'être laissée aller à l'embrasser. En une fraction de seconde, il lui avait fait oublier toutes les excellentes raisons qu'elle avait de demander le divorce. Elle n'avait appris que le soir de son mariage que le charme extraordinaire de Dio cachait une âme noire comme la nuit. Cette fois, elle n'y succomberait pas.

— Pourquoi dînerions-nous ensemble dans la cuisine ? C'est ce que font les vrais couples. Et notre mariage n'est pas un vrai mariage, si ?

Avec un sourire crispé, Dio suspendit sa fourchette entre ses lèvres et son assiette.

— Je suppose que c'est toi l'experte en la matière.

— Qu'est-ce que ça veut dire ?

— Que tu m'as épousé sans avoir la moindre intention d'être un véritable couple.

— Ressasser le passé ne nous avancera pas, Dio. Nous devrions tous deux regarder vers l'avenir.

— Et l'avenir, c'est le divorce ?

— Je n'ai pas l'intention de coucher avec toi pour de l'argent.

L'espace d'un instant, Lucy s'imagina son mari lui faire l'amour, avant de ressaisir. Il ne s'agissait pas d'amour, n'est-ce pas ? C'était bien là le problème. Quel était l'intérêt d'une relation sexuelle dépourvue de sentiments ?

Dio repoussa son assiette vide et étendit ses longues jambes.

— Tu choisis donc la pauvreté ? demanda-t-il.

— Je me débrouillerai s'il le faut. Je...

— Tu quoi ? coupa-t-il, intrigué par l'hésitation qui perçait dans sa voix.

Lucy haussa les épaules, déterminée à ne pas en révéler davantage.

— J'ai des projets, répondit-elle simplement.

— Quel genre de projets ?

— Rien de bien excitant. Mais il est temps que je m'interroge sur le sens que je veux donner à ma vie.

Puis elle se leva et, évitant soigneusement de croiser son regard, entreprit de débarrasser. Dio l'étudia en silence. Il savait qu'elle s'affairait pour ne pas avoir à poursuivre cette conversation. Ses gestes saccadés trahissaient sa nervosité.

Un : elle voulait le quitter. Deux : elle avait des projets. Pour Dio, cela ne pouvait signifier qu'une chose : il y avait un homme en coulisses. Un amant. Peut-être pas très riche, mais un homme qui attendait son tour pour profiter des charmes de *sa* femme — à supposer qu'il n'en avait pas déjà profité !

Leur faux mariage s'apprêtait à laisser la place à une véritable relation, qu'elle cultivait sans doute depuis des mois. Peut-être même que cette liaison avait *précédé* leur mariage ? Un voile rouge s'abattit devant les yeux de Dio à cette idée. Lucy était prête à partir les mains vides, et il devait s'avouer qu'il n'avait rien vu venir. Quels que soient ses mystérieux projets, ils étaient en tout cas assez puissants pour balayer son bon sens.

Dio n'avait pas le choix : il devait découvrir ce qu'elle lui cachait. Pour cela, il pouvait soit engager un détective, soit s'en occuper lui-même. Il préférait cette dernière option — on n'était jamais mieux servi que par soi-même.

De longs mois d'une relation stérile et hostile s'éva-nouirent brusquement, balayés par une émotion aussi intense qu'inexplicable.

— Je dois me rendre à New York pendant quelques jours, annonça-t-il brusquement.

Il se leva pour se diriger vers la porte. Il s'arrêta sur le seuil, la main sur la poignée, le visage impénétrable.

— Normalement, j'insisterais pour que tu m'accompagnes, mais ce sera un séjour purement professionnel, tu peux donc rester à Londres.

— Je… New York ? bredouilla Lucy, désarmée par la soudaine froideur de son mari. Je ne me rappelle pas avoir vu ce voyage sur l'agenda. Pas avant le mois prochain, en tout cas.

— Une décision de dernière minute, expliqua Dio avec un haussement d'épaules. Ça te donnera tout le temps de réfléchir à ma proposition. Nous en discuterons à mon retour.

— C'est tout réfléchi. Je n'ai pas besoin d'y penser.

— Dans ce cas, répliqua-t-il avec un mince sourire, tu pourras passer ces quelques jours à réfléchir aux conséquences de ta décision.

3.

Lucy avait connu des nuits plus reposantes. *Réfléchir aux conséquences de sa décision ?* La suffisance avec laquelle Dio avait prononcé ces mots lui cuisait encore. Mais pour qui se prenait-il ?

Leur parodie de mariage avait été utile à Dio, elle le savait, et peut-être était-ce là l'origine de son arrogance. Lucy s'était dès le départ coulée dans le rôle qu'il attendait d'elle, encouragée en cela par son propre père. Ce dernier lui avait rappelé constamment qu'au moindre écart, Dio pouvait le faire mettre en prison ; le rôle de Lucy avait été d'éviter à tout prix cette humiliation à sa famille.

Elle avait donc fait tout ce que l'on exigeait d'elle. Elle s'était vêtue comme son mari le souhaitait, s'était parée pour lui de bijoux dont le prix lui donnait la nausée. Elle s'était transformée en épouse parfaite, et il avait semblé satisfait. Ses amis et connaissances, lui avait-il révélé un soir, ne tarissaient pas d'éloges sur le couple merveilleux qu'ils formaient.

Pour ce que Lucy en savait, Dio était sans doute attiré par des femmes complètement différentes d'elle. Des brunes sensuelles et voluptueuses au tempérament latin qui juraient, buvaient et ne lui refusaient rien au lit. Mais aucune de ces femmes n'aurait pu tenir le rôle d'épouse loyale, élégante, éduquée. Tous deux avaient donc accepté cette mascarade qui servait leurs intérêts respectifs. Dio s'achetait une respectabilité, Lucy protégeait la réputation de sa famille.

La donne semblait avoir brutalement changé ces dernières heures. Pour commencer, Dio la désirait. C'était sans doute un caprice d'enfant gâté qui convoitait ce qu'il ne pouvait pas avoir, mais elle ne se leurrait pas. Il avait parlé de « quelques semaines seulement », comme s'il savait qu'il se lasserait d'elle rapidement. Pouvait-on faire plus cynique ? Plus insultant ? La honte consumait Lucy quand elle y pensait.

Elle avait beau le détester, sa nuit fut peuplée de rêves dans lesquels Dio la touchait là où personne ne l'avait jamais touchée. Elle se réveilla moite de plaisir, avec l'impression d'avoir à peine dormi. La maison était vide : sans doute Dio était-il déjà parti à New York.

Elle se leva sans entrain, songeant qu'elle pouvait au moins mettre à profit l'absence de son mari pour travailler à ses propres projets. Mais le visage sombre de Dio hantait son esprit et tempérait son enthousiasme habituel. Elle était sûre que même loin, il allait lui gâcher la journée…

Dio était en pleine conférence téléphonique lorsqu'il fut averti du départ de son épouse. Il avait chargé son chauffeur personnel de la surveiller. Simon n'avait pas la moindre expérience de ce genre de mission, mais il était l'une des rares personnes auxquelles Dio faisait entièrement confiance.

— Rappelez-moi quand vous en saurez plus, ordonnat-il. Je me moque de savoir qu'elle a quitté la maison. Ce qui m'intéresse, c'est de savoir où elle va.

Soudain agité, il quitta son fauteuil et s'approcha des baies vitrées qui dominaient le quartier d'affaires où se trouvaient ses bureaux. Il avait réfléchi toute la nuit à leur conversation et il avait toujours du mal à digérer cette demande de divorce. S'il découvrait qu'il y avait un autre homme derrière tout cela…

Il fourra les mains dans ses poches et serra les poings, réprimant tant bien que mal l'accès de rage qui l'avait assailli à l'idée que sa femme lui était infidèle.

Ce n'était pas du tout ce qu'il avait envisagé lorsqu'il avait racheté l'entreprise de Robert Bishop. Il avait prévu une estocade mortelle, d'une précision chirurgicale — sa victime ne méritait pas mieux.

Dio n'était pas homme à ruminer le passé, mais pour une fois, il se laissa emporter par ses souvenirs. Il avait été directement témoin de certains faits, comme par exemple les dépressions de son père, prisonnier d'un travail sans avenir et mal payé. Sa mère avait fait des ménages et s'était saignée aux quatre veines pour lui offrir une enfance normale, malgré un manque d'argent endémique. C'était d'elle qu'il tenait le reste de l'histoire. Elle lui avait tout raconté, bien des années après la maladie qui avait emporté son père. Dio avait alors découvert l'injustice dont ce dernier avait été victime.

Pauvre émigré à l'intelligence aiguë, Mario Ruiz avait rencontré Robert Bishop à leur sortie d'université. Bishop était l'archétype de l'enfant gâté, du gosse de riche qui passait sa vie à faire la fête plutôt qu'à étudier, sûr qu'il était d'hériter un jour de la fortune familiale. Or les affaires n'étaient plus si florissantes qu'autrefois, et Robert Bishop avait vite compris qu'il ne pourrait maintenir longtemps un tel train de vie. La chance lui avait fait rencontrer Mario Ruiz, inventeur d'une pièce mécanique aussi minuscule que révolutionnaire, aux applications innombrables. Ce tout petit objet avait assuré des années de prospérité à l'entreprise de Bishop.

Dio ne fit rien pour réprimer la colère qui le submergeait quand il pensait à la façon dont on avait roulé son père. Mario Ruiz avait signé naïvement un contrat qui ne valait même pas le papier sur lequel il était imprimé. Son invention avait été exploitée et fait la fortune d'un autre. Lorsqu'il avait voulu s'en plaindre, il avait été mis à la porte sans autre forme de procès. C'était une histoire si extraordinaire que Dio lui-même n'y aurait pas cru s'il n'avait pas découvert une série de documents attestant de sa véracité à la mort de son père.

Dès cet instant, ruiner Robert Bishop était devenu le but de sa vie. Mais sa vengeance avait été habilement détournée par le joli visage de Lucy Bishop. Sa résolution avait vacillé et il s'était radouci. Au final, il avait tout fait à moitié. Il avait obtenu l'entreprise, mais n'avait pas écrasé son patron ; il avait épousé sa fille, mais n'avait pas couché avec elle. Cette histoire-là restait à écrire, songea-t-il avec délectation. Il s'était trop longtemps laissé mener en bateau. Il était temps de reprendre la main.

Son téléphone sonna, l'arrachant à ses ruminations. Il prit l'appel de Simon et nota l'adresse que ce dernier lui communiquait. Puis il sortit de son bureau et annonça à sa secrétaire qu'il serait injoignable jusqu'à nouvel ordre. Cette dernière le dévisagea avec des yeux ronds — il était *toujours* joignable.

— Trouvez n'importe quelle excuse pour annuler mes rendez-vous, ordonna-t-il. Soyez créative.

Dio connaissait les rues de Londres aussi bien que son chauffeur, mais il lui fallut tout de même l'aide de son GPS pour trouver l'adresse que Simon lui avait communiquée. Il se retrouva dans une rue de l'est londonien, devant une construction décrépite coincée entre une laverie et un restaurant indien. Il fut un instant tenté de rappeler Simon pour lui demander s'il ne s'était pas trompé.

Au lieu de cela, il sortit de sa voiture et prit quelques instants pour étudier la maison. La peinture de la porte s'écaillait et toutes les fenêtres étaient fermées malgré la touffeur de la journée. Pour une fois, Dio avait du mal à tirer des conclusions de ce qu'il voyait.

Il entendit le carillon se réverbérer dans la bâtisse quand il appuya sur le bouton. Un bruit de pas se fit entendre et la porte s'ouvrit, chaîne de sécurité en place.

Lucy cligna les yeux. Etait-elle en proie à une hallucination ? Son mari l'obsédait-elle à ce point qu'elle le voyait en un lieu si improbable ? La réaction de son corps lui indiqua bien vite qu'elle ne rêvait pas : l'homme qui se tenait face à elle était bien réel.

— Qui est-ce, Lucy ? demanda Mark depuis l'intérieur de la maison, avec son accent gallois chantant.

— Personne ! répondit-elle par réflexe.

Elle comprit en rencontrant le regard furieux de son mari qu'elle venait de commettre une erreur.

— Personne ? répéta Dio d'une voix dangereusement douce.

La chaîne était toujours en place, et il plaça la main sur le battant, juste au cas où sa chère épouse aurait la mauvaise idée de lui refermer la porte au nez.

— Qui est ce type, Lucy ?

— Tu m'as suivie ?

— Réponds à ma question ou je défonce cette porte.

— Tu n'as rien à faire ici !

Lucy sentit la présence de Mark dans son dos, qui essayait de voir par l'entrebâillement qui se tenait sur le seuil. Avec un soupir de capitulation, elle ôta la chaîne de sécurité.

Dio se félicita mentalement de rester aussi calme lorsqu'il entra. Le hall d'entrée contrastait, par la couleur jaune vif de ses murs, avec la tristesse de la façade. Son regard passa de Lucy au blondinet d'une trentaine d'années qui se tenait derrière elle.

— Vous êtes qui ? lança-t-il, hargneux. Qu'est-ce que vous faites avec ma femme ?

Il dépassait le type d'une tête et aurait pu l'écraser d'un doigt. C'était d'ailleurs ce qu'il brûlait d'envie de faire, mais il savait que la violence ne résoudrait rien.

— Lucy, tu veux que je vous laisse discuter ? demanda Mark.

Lucy avisa la lueur menaçante dans les yeux de son mari et décida qu'en effet, il valait mieux que Mark disparaisse. Elle aurait voulu pouvoir prendre la poudre d'escampette elle aussi, mais le moment était sans doute venu de prendre le taureau par les cornes et de tout expliquer à son mari.

— Dio, je te présente Mark…

— Je vous serrerais bien la main, mais j'aurais trop peur de l'arracher, ironisa Dio. Je vous suggère donc d'aller faire un tour et de ne revenir que quand on vous sonnera.

— Dio, s'il te plaît, soupira Lucy, s'interposant entre les deux hommes. Tu te trompes du tout au tout.

— Je pourrais assommer ce minable sans le moindre effort.

— Et tu serais fier de toi, c'est ça ?

— Fier, peut-être pas. Mais satisfait, c'est sûr !

Il décocha à son rival un regard menaçant. Lucy lui posa une main apaisante sur le bras. Elle se retourna vers le dénommé Mark et lui promit de l'appeler dès que possible. Dio fulminait en silence, imaginant sa femme dans les bras de ce gringalet.

Sa colère était telle qu'il remarqua seulement, lorsque la porte d'entrée se referma derrière ce maudit Mark, ce qu'il aurait dû noter bien plus tôt : Lucy ne portait aucun signe extérieur de richesse. Ni bijoux, ni vêtements de couturier, ni même la montre qu'il lui avait offerte pour son anniversaire.

Il l'étudia de la tête aux pieds, déconcerté. Ses cheveux étaient noués en queue-de-cheval ; elle ne portait qu'un T-shirt, un jean délavé et des baskets. Elle avait l'air incroyablement jeune et une bouffée de désir le cueillit en plein ventre.

Lucy sentit l'atmosphère changer, même si elle n'en comprenait pas la raison. La tension était toujours aussi palpable entre Dio et elle, mais l'air semblait maintenant pulser d'une électricité qui précipita son rythme cardiaque.

— Tu vas écouter ce que j'ai à te dire ? demanda-t-elle, croisant les bras pour cacher ses seins bourgeonnants.

— Pas si c'est un conte à dormir debout.

— Je ne t'ai jamais menti et je n'ai pas l'intention de commencer.

— Est-ce que tu as une liaison avec ce type ?

— Non !

Dio fit un pas en avant, furieux.

— Tu es ma femme !

Lucy détourna le regard, horrifiée de constater que malgré l'agressivité de son mari, elle était incroyablement excitée. C'était à croire qu'elle avait ouvert la porte sur une facette de sa personnalité qu'elle ne pouvait plus contrôler.

Dio leva la main comme pour l'interrompre alors qu'elle n'avait pas ouvert la bouche.

— Et n'essaie pas de me baratiner en disant que tu es ma femme seulement sur le papier. Tu es ma femme tout court, et ça va mal se passer si je découvre que tu m'as trompé avec ce type.

— Quelle différence ça ferait ? rétorqua Lucy. Tu ne t'es pas privé de me tromper, toi !

— Dans quel univers parallèle t'ai-je trompée, au juste ? s'écria Dio sans réfléchir à ce qu'il disait.

Le silence retomba, assourdissant. Avait-elle bien entendu ? Il n'avait couché avec personne d'autre pendant leur mariage ? Une vague de soulagement envahit Lucy et sa colère s'évanouit, comme lavée à grande eau.

— Qui était ce type ? reprit Dio d'une voix sourde, l'empêchant de le questionner plus avant.

— Si tu arrêtes de crier cinq minutes, je répondrai à toutes tes questions.

— J'attends. Et tu as intérêt à me dire ce que j'ai envie d'entendre.

— Sinon ?

— Sinon… Il vaut mieux que tu ne le saches pas.

— Oh ! arrête de jouer les hommes de Néandertal et suis-moi.

— Néandertal, moi ? Tu n'as encore rien vu !

Ils s'affrontèrent du regard sans un mot. Lucy était si ravissante que Dio regrettait soudain d'avoir respecté son embargo sexuel des dix-huit derniers mois. Il aurait pu la séduire, la faire changer d'avis. Il savait qu'il y serait parvenu. Et s'il lui avait fait l'amour, il pouvait affirmer sans se vanter qu'elle ne serait pas allée voir si l'herbe était plus verte ailleurs.

— Viens avec moi, reprit-elle.

Tournant les talons, son épouse se dirigea vers une pièce au fond du couloir, après l'escalier qui menait au premier étage.

— Voilà ! fit-elle en tendant le bras. Tu es content ?

Perplexe, Dio étudia la pièce dans laquelle il venait d'entrer. Elle était remplie de petits bureaux et d'étagères chargées de livres. Un tableau noir occupait le mur du fond.

— Je ne comprends pas, maugréa-t-il en faisant de nouveau face à sa femme.

Lucy inspira profondément, se raccrochant au peu de patience qui lui restait encore.

— C'est une classe, expliqua-t-elle.

— Pourquoi retrouves-tu un homme dans une classe ?

— Je ne *retrouve pas un homme dans une classe* !

— Tu essaies de me convaincre que j'ai imaginé le blondinet ?

— Bien sûr que non. Techniquement, oui, ça fait deux mois que je vois Mark ici même plusieurs fois par semaine.

Dio se passa une main dans les cheveux. Son rythme cardiaque se calmait enfin. Il n'aurait su dire pourquoi, mais il savait désormais que sa femme ne le trompait pas. Il n'empêchait que bien des questions demeuraient sans réponse, à commencer par les raisons de sa présence en ce lieu.

— Je suis tout ouïe. Je meurs d'envie de savoir ce que fait ma femme quand elle s'imagine que je suis en voyage.

— Assieds-toi et je te le dirai.

Dio hésita visiblement, puis prit place sur une chaise minuscule, un spectacle comique et troublant à la fois. La dimension réduite des meubles accentuait l'impression qu'il dominait la pièce. Une aura d'énergie pure émanait de lui, si intense qu'elle étourdissait Lucy.

— Tu as comploté tout ça, n'est-ce pas ? Tu m'as menti en disant que tu allais à New York et tu m'as suivie ?

— La fin justifie les moyens, répondit Dio sans faire montre de contrition. Mais si tu veux tout savoir, je ne t'ai pas suivie. J'ai demandé à mon chauffeur de le faire pour moi et de me dire où tu allais.

— Je ne vois pas la différence !

— La différence, c'est que c'était plus efficace. Tu m'aurais reconnu tout de suite si j'étais monté dans le même bus que toi.

— Mais pourquoi ? Et pourquoi maintenant ?

— A ton avis, Lucy ?

— Je n'ai pas envie de jouer aux devinettes. Tu n'as jamais paru te préoccuper de ce que je faisais en tes nombreuses absences.

— Parce que je n'ai pas soupçonné un seul instant que ma femme passait du temps avec un autre homme. Je ne pensais pas que je devrais te faire surveiller.

— Tu n'as pas à me faire surveiller !

Lucy s'empourpra, reconnaissant malgré elle la confiance que Dio avait placée en elle. Elle connaissait de nombreuses femmes que leurs riches époux ne laissaient jamais sortir sans un ou plusieurs gardes du corps. Elle avait évoqué le sujet un jour devant Dio. Ce dernier avait qualifié ce comportement de « paranoïaque », l'attitude d'hommes si imbus d'eux-mêmes qu'ils s'imaginaient que le reste du monde désirait ce qu'ils possédaient. Lucy ne voulait pas lui laisser penser qu'elle avait trahi cette confiance. C'était sans doute ridicule, mais il était important à ses yeux que son mari la sache honnête.

— Je ne t'ai jamais trompé. Mark et moi sommes collègues.

— Pardon ?

— Je suis membre d'un site d'annonces locales, sur Internet. Il y a quelque temps de cela, Mark a posté un message disant qu'il recherchait quelqu'un pour apprendre les maths à des enfants défavorisés. J'y ai répondu.

Dio la fixa un instant sans mot dire, dérouté par cette révélation inattendue.

— Je me rappelle t'avoir dit que je voulais enseigner.

— Et moi, je voulais être pompier à l'âge de huit ans, railla-t-il. Ça n'a pas duré.

— Ce n'est pas pareil !

— Etrange que tu aies mis ta vocation en veille juste après m'avoir épousé, non ?

— Je ne pensais pas avoir le choix.

— Nous avons tous le choix.

— Sauf lorsque… la famille fait partie de l'équation.

En d'autres termes, comprit Dio, Lucy avait voulu éviter à Bishop de payer le prix de sa cupidité et de sa bêtise. Et pour cela, elle avait mis ses propres rêves entre parenthèses.

— Et maintenant que l'avenir t'appartient, que tout est possible, tu as décidé d'écouter ton cœur ?

— Ne sois pas cynique, Dio. Tu n'as jamais rêvé ? Jamais imaginé quelque chose ?

— En ce moment, mon imagination œuvre à obtenir la lune de miel qui m'a été refusée.

Il vit le visage de sa femme blêmir et réprima un pincement de culpabilité. Il était déjà tombé dans le panneau, autrefois, en achetant son petit numéro d'ingénue. Si elle croyait qu'il allait avaler ce nouveau bobard — la femme riche et désintéressée renonçant à sa fortune pour aider les pauvres — elle se fourrait le doigt dans l'œil.

— Ça ne t'intéresse pas d'en savoir plus sur cet endroit, n'est-ce pas ? demanda-t-elle d'un air dépité. Quand je t'ai annoncé que je voulais divorcer, tu ne m'as même pas demandé pourquoi.

— Tu veux que je te le demande ?

De nouveau, Lucy se força à respirer. Dio était décidément insupportable quand il s'y mettait. Il la croyait capable du pire, et elle doutait de pouvoir jamais changer l'opinion désastreuse qu'il avait d'elle.

— Et tout ça paiera assez pour te permettre de survivre ? demanda-t-il en écartant les bras pour désigner la pièce.

Il nota que Lucy avait l'air d'avoir envie de pleurer, mais ce fut d'une voix ferme qu'elle répondit :

— Ça ne paie pas. C'est du volontariat.

— Ah… Et quelle est ta relation avec le blondinet qui a pris ses jambes à son cou dès que je l'ai menacé ?

— Il n'a pas pris ses jambes à son cou.

— Ce n'était pas ma question.

— Bon sang, tu es d'une arrogance !

— Tout ce que je veux savoir, c'est si ma femme a un petit faible pour un type qu'elle a rencontré sur Internet.

Sa voix était calme, à peine nuancée d'une pointe de curiosité, mais son regard avait la dureté bleue d'une lame d'acier.

— Mark ne m'attire pas le moins du monde, déclara-t-elle. Même s'il a toutes les qualités que je recherche chez un homme.

— A savoir ? demanda Dio sans desserrer les dents.

— Il est gentil, attentionné et les enfants l'adorent.

— Il a l'air d'un joyeux luron, dis donc.

— Il peut être très drôle, répliqua Lucy. Il me fait souvent rire.

— Et moi non ?

— Nous n'avons pas ri ensemble depuis...

Elle n'acheva pas sa phrase, se contentant d'un haussement d'épaules éloquent. Dio, qui commençait à avoir des fourmis dans les jambes, se leva et s'intéressa pour la première fois à son environnement. Il feuilleta un cahier posé sur un petit bureau et reconnut dans la marge l'écriture de sa femme — des corrections, un smiley d'encouragement.

— D'accord, tu n'es pas attirée par ton collègue, reprit-il enfin. Tu es sûre que c'est réciproque ?

L'espace d'un instant, Lucy songea à faire fi de toute prudence et à répondre que Mark était fou amoureux d'elle, juste pour voir si elle était capable de rendre jaloux son mari. Mais elle connaissait déjà la réponse à cette question. Elle n'était pas assez naïve pour confondre instinct possessif et jalousie.

— Mark ne s'intéresse pas aux femmes, confessa-t-elle. Pas de cette façon. Il est en couple avec un avocat et ils sont très heureux. Nous sommes juste amis.

50

Ses derniers doutes dissipés, Dio laissa un intense soulagement l'envahir. Qu'elle en ait conscience ou non, Lucy était son talon d'Achille, et il avait bien l'intention d'y remédier. Cet épisode lui avait prouvé qu'il s'était laissé aveugler par sa fierté.

Lucy était sa femme, et, sans ses atours habituels, était plus séduisante encore. Il était jaloux de Mark, tout gay soit-il, qui la voyait ainsi presque tous les jours. Son laïus sur l'homme idéal — doux, attentionné et drôle — l'avait aussi déstabilisé. Il n'était pas imbu de lui-même au point d'ignorer qu'il ne correspondait pas à cette description.

Il la dévisagea un long moment en silence, sans chercher à dissimuler cet examen. Lucy soutint son regard, puis ses joues rosirent peu à peu. Lorsqu'elle se mit à danser d'un pied sur l'autre, il baissa ouvertement les yeux sur ses seins, ronds et fermes comme des pommes sous son T-shirt.

— Je suis ravi de constater que ma femme n'a pas batifolé avec un autre, observa-t-il en croisant les bras.

— C'est bien la première fois que tu t'intéresses à ce que je fais ou pas. C'est un progrès, je suppose.

— Tu es très belle, comme ça.

Lucy ouvrit de grands yeux, déroutée.

— Comme ça ? répéta-t-elle. Comment ?

— Sans ornements. C'est sexy.

Elle s'empourpra plus encore. Une sensation presque douloureuse pulsait entre ses cuisses, attisée par le regard prédateur dont Dio la couvait.

— Je t'ai déjà dit que je ne voulais pas de ton offre, décréta-t-elle, maudissant le léger tremblement de sa voix.

Au sourire qui étira les lèvres de Dio, elle comprit que celui-ci avait remarqué son manque d'assurance.

— Je démarre une nouvelle vie, enchaîna-t-elle avec

fougue. Une existence où je serai utile à la société, où je pourrai enfin être moi-même. Je ne veux plus m'habiller comme une poupée, je ne veux plus sourire et parler à des gens qui ne m'intéressent pas.

Dio acquiesça, puis pencha la tête de côté.

— C'est louable. Tu vas donc continuer à travailler ici sans gagner le moindre sou.

— Je te l'ai déjà dit : il n'y a pas que l'argent dans la vie.

— Mais tu n'as jamais passé ton diplôme d'enseignante, si je ne m'abuse.

— Je le ferai dès que possible, et l'expérience acquise ici me sera précieuse.

— Cet endroit part en morceaux, fit valoir Dio. Je ne sais pas si tu l'as remarqué, mais il y a des remontées d'humidité. La plomberie doit dater du Moyen Age.

— Mark essaie de lever des fonds pour faire des travaux.

— Vraiment ?

Lucy ne répondit pas. Dio hocha la tête. Il comprenait ce qu'elle ne lui disait pas : en période de crise, il était difficile de convaincre les gens de faire des dons. Et puisque l'école était destinée à des enfants défavorisés, ce n'étaient pas leurs parents qui allaient mettre la main à la poche. Le bâtiment partait à vau-l'eau, ni Lucy ni Mark n'y pouvaient rien, en dépit de leurs bonnes intentions.

— Je ne te savais pas si impliquée dans la vie de la communauté, reprit-il. Nous pourrions nous aider mutuellement.

Lucy, qui pensait à la façon dont son père aurait réagi en découvrant ce qu'elle faisait, dévisagea son mari avec surprise. Elle avait supposé qu'à l'instar de Robert Bishop, il considérait les femmes comme des accessoires, de simples faire-valoir. Une femme qui travaillait ? Inimaginable !

52

— Qu'est-ce que tu racontes ? bredouilla-t-elle, déconcertée.

Dio esquissa un sourire carnassier. Il était décidé à ne plus s'embarrasser de fioritures, à ce stade.

— Tu es prête à partir sans le sou plutôt que de coucher avec moi ? Très bien. Que dirais-tu si j'achetais ce bâtiment ? Que je le rénovais et que j'en faisais une école dotée de tout le confort moderne ? Ce ne serait pas formidable pour tous ces enfants ? Car vois-tu, susurra-t-il en réponse à l'expression ahurie de sa femme, quand je veux quelque chose, je ne recule devant rien pour l'obtenir.

4.

Lucy dévisagea son mari avec effarement. Il lui fallut quelques secondes pour retrouver l'usage de la parole.

— Comment oses-tu me proposer un marché pareil ? bégaya-t-elle. Te servir des enfants... Tu n'as pas honte ?

Dio fit mine de réfléchir, puis se fendit d'un grand sourire.

— Non. Je ne vois pas les choses ainsi.

— Et tu les vois comment, au juste ?

— C'est une tactique de persuasion comme une autre.

— Je n'en crois pas mes oreilles !

— Tu es ma femme, lui rappela Dio du même ton aimable. Quand tu m'as annoncé que tu voulais divorcer, tu devais donc savoir que je n'allais pas me coucher sans combattre.

Lucy se mâchonna la lèvre et enroula nerveusement une mèche autour de son doigt. Elle se sentait telle une institutrice face à un gamin récalcitrant. A ceci près que Dio était bien plus intimidant que n'importe quel élève...

— Alors ? fit-il en haussant un sourcil interrogateur.

— Tu ne peux pas te servir de ces pauvres gamins comme d'un instrument de négociation. C'est de leur avenir qu'il s'agit !

— Si tu te soucies tant de leur avenir, tu sais quoi faire, répondit-il en jetant un coup d'œil à sa montre.

L'heure passait et il était toujours là, songea-t-il avec détachement. En temps normal, il aurait été impatient de regagner son bureau, mais il n'en avait aujourd'hui pas la moindre envie. Cette petite aventure l'arrachait à sa routine, ce qui n'était pas pour lui déplaire.

— Ça prend plus longtemps que tu le croyais ? demanda Lucy d'un ton narquois en constatant son manège.

Il sourit, d'un air si charmeur qu'elle sentit son estomac se nouer. Son visage en était transformé, tel un paysage caressé par les premiers rayons du soleil après le passage d'une tempête. Dans ces moments, Lucy se rappelait pourquoi elle était tombée follement amoureuse de lui.

Ce fut alors qu'elle comprit pourquoi elle redoutait à ce point de faire l'amour avec lui. Certes, elle le détestait, parce qu'il s'était servi d'elle, parce qu'il l'avait utilisée comme un simple passe pour s'ouvrir les portes de la haute société, mais ce qui l'effrayait vraiment, c'était qu'il l'affectait comme au premier jour. Il éveillait en elle le genre d'émoi qu'une femme aurait pu ressentir pour l'homme de sa vie.

Et Dio Ruiz était tout sauf l'homme de sa vie...

Bref, elle ne lui était pas aussi indifférente qu'elle l'aurait voulu, comme le lui rappela le frisson qui la parcourut quand il lui effleura la joue du bout d'un doigt.

— Ma chère épouse, je suis prêt à ne pas rentrer au bureau du tout si tu me le demandes.

Lucy en resta bouche bée, incrédule, et il éclata de rire, un son velouté qui lui donna l'impression qu'on versait du chocolat chaud sur sa peau.

— Ou du moins pas avant deux heures, reprit-il, pendant que nous résolvons nos petits différends. Si tu me faisais faire le tour du propriétaire ? Cela me permettra de voir les travaux dont cette bicoque a besoin. Si je dois l'acquérir, autant que je constate tout de suite l'étendue des dégâts.

Lucy serra convulsivement les poings. Dio essayait-il de la provoquer ? Si c'était le cas, il avait réussi !

— Tu ne vas pas acheter cette « bicoque », comme tu dis. Tu ne t'intéresses même pas à ce que je fais !

Le regard soudain dur, Dio fourra les mains dans ses poches.

— Permets-moi de te contredire sur ces deux points.

Lucy détourna les yeux, troublée par l'intensité de l'examen auquel il la soumettait. Mieux valait accéder à sa demande, décida-t-elle, et lui faire visiter les lieux.

Avec un haussement d'épaules, elle désigna le bureau près du tableau et expliqua qu'il s'agissait de la classe principale, celle qui réunissait les enfants les plus en difficulté. Mark et elle en avaient la charge à tour de rôle.

Plus Lucy évoquait son travail, plus elle s'animait, et Dio prit conscience de ce qu'il avait manqué ces derniers mois. Sa femme lui avait toujours paru froide et sophistiquée, mais il comprenait à présent que la vraie Lucy était restée cachée. Elle était animée, généreuse, passionnée par son métier. Ses yeux brillaient et ses joues étaient roses d'excitation. Elle parlait avec les mains, et il l'écoutait avec fascination.

Plusieurs autres salles de classe occupaient le rez-de-chaussée. Par une illusion d'optique due à son étroite façade, le bâtiment paraissait plus petit de l'extérieur qu'il ne l'était en réalité.

— Des professeurs volontaires viennent donner des cours lorsqu'ils le peuvent, expliqua Lucy en se dirigeant vers l'escalier principal. Nous avons des gens très qualifiés pour la plupart des matières.

Sa voix s'adoucit comme elle ajoutait :

— Tu devrais voir les enfants qu'on nous amène… Certains vivent dans des conditions dignes de Dickens. Ce qui est formidable, c'est que malgré leur pauvreté, leurs parents se soucient de leur éducation.

Dio acquiesça et posa les yeux sur la bouche sensuelle de sa femme. De là, ils dérivèrent sur son cou gracile et ses épaules fines. Des mèches couleur d'or pâle s'échappaient de sa queue-de-cheval et dansaient autour de son visage. Sans maquillage, elle paraissait plus jeune encore, tout juste sortie de l'adolescence.

— Et la sécurité ? demanda-t-il brusquement.

— Pardon ?

— Mark et toi êtes les seuls adultes ici ? Vous travaillez la nuit ?

— Comment ? Tu as peur pour moi ? ironisa Lucy.

— Bien sûr.

La gravité avec laquelle il avait répondu lui fit battre le cœur. Lorsqu'elle retrouva l'usage de la parole, elle lui expliqua que non, elle ne travaillait pas la nuit. Il y avait toujours au moins deux ou trois autres professeurs dans le bâtiment. Elle n'était jamais seule.

— Peu importe, fit Dio avec un geste autoritaire. A partir de maintenant, tu seras accompagnée par deux de mes gardes du corps chaque fois que tu viendras ici. Ce n'est pas négociable.

— N'est-ce pas toi qui te moquais des hommes qui ne laissaient pas leur femme sortir sans gardes du corps ?

— Tu n'aurais pas besoin de gardes du corps si tu passais ton temps à faire du shopping ou chez l'esthéticienne. Je croyais que c'était ce que tu faisais en mon absence.

Lucy fit volte-face, tiraillée entre des émotions contradictoires. D'un côté, elle avait l'impression qu'il réduisait sa liberté ; de l'autre, elle se réjouissait de voir qu'il voulait la protéger. Qu'il voulait protéger *son investissement*, se rappela-t-elle aussitôt, revenant sur terre. Un investissement dont il avait bien l'intention de profiter à fond avant de s'en débarrasser…

— Mais quelle impression vais-je donner si je me promène partout avec tes gorilles ?

— Je me suis toujours moqué de ce que les gens

pensaient. Alors, combien y a-t-il de salles de classe dans cet endroit, et qu'y a-t-il à l'étage ?

— Tu peux garder tes gardes du corps. Ils vont faire peur aux enfants.

— Dans ce quartier, ce seront plutôt les enfants qui feront peur aux gardes du corps, plaisanta-t-il.

— Arrête de me chercher, Dio ! Tes provocations n'ont pas le moindre effet sur moi.

— Je ne peux pas en dire autant de *tes* provocations, répondit son mari en l'étudiant comme si elle était un mets appétissant.

Lucy déglutit, rouge d'embarras.

— Je… j'essaie juste de t'expliquer que je ne veux pas attirer l'attention quand je viens.

Acquiesçant d'un air distrait, Dio tendit la main pour capturer une mèche blonde qui tombait dans les yeux de Lucy. Il la lui cala derrière l'oreille.

— Que… qu'est-ce que tu fais ?

— Rien. Je t'écoute. Tu disais ?

— Tu… Je…

Lucy s'interrompit, en proie à la drôle d'impression que son cerveau pataugeait dans une mélasse qui en ralentissait les rouages. En cet instant, elle n'avait qu'une envie : que Dio la touche plus intimement encore, comme dans ses rêves.

Elle fit appel à toute sa volonté pour reculer d'un pas et s'arracher à l'aura magnétique qui l'entourait. Puis elle inspira profondément, emplissant ses poumons d'un oxygène salvateur.

— Quand je viens travailler ici, personne ne sait qui je suis, reprit-elle d'une voix plus posée.

— On ne t'a jamais reconnue ?

— Pourquoi me reconnaîtrait-on ? Je m'habille comme ça, en jean et en tennis, sans mon maquillage et mon attirail habituel.

Le sarcasme qui perçait dans sa voix était évident, et Dio s'étonna de nouveau du peu qu'il savait d'elle. La Lucy qu'il découvrait aujourd'hui ne correspondait en rien à l'image qu'il en avait : une ambitieuse prête à tout pour protéger son criminel de père.

Il secoua la tête avec impatience, dans l'espoir d'en chasser les doutes qui commençaient à s'y loger.

— Tu voulais voir l'étage, c'est ça ? fit Lucy en s'engageant dans l'escalier. Par ici.

Le reste de la maison était réservé à l'administration de l'école et à une bibliothèque dont les étagères dégarnies faisaient peine à voir. Dio avisa un ordinateur préhistorique et songea que Lucy aurait pu équiper l'école d'un réseau dernier cri en vendant une seule de ses bagues. Pourtant, elle n'en avait rien fait, sans doute pour dissimuler son identité et ses origines. Une nouvelle fois, Dio eut l'impression de ne pas la connaître — cette attitude ne ressemblait pas à ce qu'il savait des Bishop.

Il s'arrêta dans un couloir pour regarder autour de lui. Comme dans l'entrée, les murs avaient été peints d'un jaune vif et joyeux qui cachait bien mal le délabrement avancé de l'édifice.

— Mark devrait rentrer bientôt, annonça Lucy quand ils regagnèrent enfin le rez-de-chaussée. Si tu t'intéresses vraiment à l'école, tu pourras lui poser toutes les questions que tu veux.

— Merci, mais je ne préfère pas, répondit Dio en s'adossant à un mur, focalisé sur la tache d'encre apparue sur la joue de sa femme pendant leur visite. Je ne veux pas avoir à le ranimer quand il va constater que je suis toujours là.

— Très drôle…

— C'est à toi que je voudrais poser des questions.

Y a-t-il un endroit où nous pourrions déjeuner dans les environs ?

— Déjeuner ? répéta-t-elle. Tous les deux ?

C'était une chose qu'ils n'avaient pas faite une seule fois depuis leur mariage !

— A moins que tu n'aies apporté des sandwichs et une thermos de café, histoire de te fondre dans l'environnement ?

— Ne sois pas ridicule. Il y a un petit bistro juste au coin.

— Un bistro ? fit-il en haussant un sourcil narquois.

— Oui. Ce n'est pas particulièrement gastronomique, mais ils font un bon thé.

— Joker. Une autre suggestion ?

Lucy lui adressa un regard de défi, bras croisés.

— Tu es sur *mon* territoire, Dio.

— Ton territoire ? Ne me fais pas rire.

— Je suis sérieuse. Je me sens beaucoup plus à mon aise dans ce quartier que dans toutes tes résidences, où je passe ma vie à m'assurer qu'il y a du caviar dans tes réfrigérateurs et à traquer le moindre grain de poussière.

— Si tu essaies de m'énerver, Lucy, félicitations. Tu y parviens très bien.

— Je n'essaie pas de t'énerver. Je suis sincère. Si tu veux poursuivre cette conversation, et si tu as des questions à me poser, il va falloir que tu fasses des compromis. C'est donc le café où Mark et moi déjeunons habituellement ou rien. Arrête de jouer les snobinards.

— Je ne suis pas snob. Mais j'ai vu assez de cafés graisseux pour toute une vie. Je viens d'un monde auquel je suis content d'avoir échappé et je n'éprouve pas la moindre nostalgie.

Lucy ouvrit des yeux ronds, surprise par ces révélations. C'était la première fois que Dio évoquait son passé. Bien sûr, elle savait par son père qu'il avait des origines modestes et qu'il s'était fait à la force du poignet. Mais son mari ne lui en avait jamais parlé directement.

Le visage sombre, Dio se détourna brusquement pour se diriger vers la porte.

— J'attendrai donc ton retour ce soir pour discuter.

Sans réfléchir, Lucy lui posa une main sur le bras.

— Non.

La chaleur du corps de son mari se communiqua au sien comme une décharge, et elle le relâcha aussi vivement que si elle s'était brûlée.

— Nous… nous devrions parler de tout ça maintenant, bafouilla-t-elle. Je ne pensais pas que tu découvrirais mes projets. Maintenant que c'est fait, mieux vaut en discuter. Je suis prête à aller dans un vrai restaurant.

Dio pinça les lèvres, ses fabuleux yeux gris rivés sur son visage, puis secoua la tête.

— Allons à ton bistro. Ça m'ira.

Lucy ferma derrière elle et tous deux se dirigèrent vers le café où elle déjeunait en général avec Mark. Elle mourait d'envie d'interroger Dio sur son passé maintenant qu'il lui en avait entrouvert les portes, mais un simple coup d'œil au profil grave de son mari l'en dissuada. Il était évident qu'il n'était pas d'humeur à revenir sur le sujet.

— Je te préviens, c'est un endroit très simple, lui rappela-t-elle quand ils arrivèrent.

— C'est l'euphémisme de l'année, marmonna Dio en découvrant les petites tables coincées entre quatre murs défraîchis.

Son sandwich se révéla délicieux, composé d'ingrédients frais dont certains provenaient directement du potager des propriétaires, John et Anita. Ces derniers tenaient visiblement Lucy en haute estime, et Dio ne tarda pas à comprendre pourquoi : leur fille assistait à ses cours de soutien scolaire.

— C'est bon, reconnut-il en désignant son sandwich. Ou alors c'est que contrairement à ce que je t'ai dit, j'ai la nostalgie des plaisirs simples de mon passé.

Cette fois, Lucy agrippa à pleines mains la perche qu'il lui tendait.

— Tu as grandi dans un coin comme celui-ci ?

— Notre relation est en train de prendre une nouvelle tournure, tu ne trouves pas ? remarqua Dio d'un air narquois. Nous déjeunons ensemble, nous échangeons des anecdotes sur notre jeunesse… Où cela va-t-il finir ? Suis-je bête, je le sais : au lit !

Malgré tous ses efforts pour rester indifférente, Lucy se sentit rougir comme une pivoine. Comment demeurer impassible lorsqu'un homme aussi séduisant mentionnait le mot « lit » et vous dévisageait comme si vous étiez son dessert ?

— Je te l'ai dit et je te le redis : je ne coucherai pas avec toi, murmura-t-elle d'un ton inflexible.

— A ta guise. C'est juste dommage pour la fille de John et Anita, et pour tous les autres enfants qui fréquentent ton école.

Lucy soupira, accablée. Elle avait le sentiment d'être coincée dans le tambour d'une machine en mode essorage. En demandant le divorce, elle n'avait jamais imaginé qu'il lui faudrait envisager de passer un contrat avec le diable en personne.

— Ça doit être dur pour des parents qui ont déjà du mal à joindre les deux bouts de s'occuper de l'éducation de leurs enfants, reprit Dio avec un soupir de tragédien.

— Ton problème, c'est que tu obtiens toujours ce que tu veux.

— Ce n'est pas un problème, c'est une qualité.

— Appelle ça comme tu veux, répliqua Lucy. Pour une fois, tu vas devoir te contenter d'un « non ».

Dio termina son sandwich sans paraître le moins du monde affecté par cette rebuffade. Il s'essuya les doigts sur une serviette en papier, but une gorgée d'eau, puis posa sur elle un regard interrogateur.

— Je me demande comment va réagir ce pauvre Mark quand il va s'apercevoir que tu pourrais, d'un claquement de doigts, régler à jamais tous les problèmes financiers de son école.

— Sauf qu'il s'agit d'un peu plus que d'un claquement de doigts, n'est-ce pas ?

Dio sourit. Il ne s'était pas amusé à ce point depuis longtemps. Etait-ce la nouveauté de la situation qui le réjouissait ? Etait-ce la beauté du visage de sa femme quand elle était en colère ? Il l'ignorait et il s'en moquait. Tout ce qu'il voulait, c'était coucher avec elle et se la sortir de la tête une fois pour toutes.

— J'adore travailler avec les enfants, reprit Lucy comme il la dévisageait sans rien dire. Ça me satisfait bien plus que de recevoir et de divertir des gens dont je n'ai que faire. Mon temps libre, je préfère le passer à l'école plutôt qu'au vernissage du dernier artiste à la mode ou au mariage de quelqu'un que je connais à peine.

Dio, au fond, était parfaitement d'accord avec elle. L'un des aspects de sa carrière fulgurante qu'il détestait le plus était précisément cette agitation sociale permanente. Mais elle était nécessaire. Il était réaliste et il faisait tout ce qu'il fallait pour réussir, quels que soient ses sentiments personnels.

Il n'avait pas soupçonné un seul instant que sa femme puisse elle aussi détester ce mode de vie. N'était-ce pas l'univers dans lequel elle était née ? N'était-ce pas pour y rester qu'elle l'avait épousé ?

Il l'étudia en fronçant les sourcils, dérouté par les

petites incohérences qu'il commençait à déceler dans l'image qu'il s'était faite d'elle.

— Tout ce que je veux, c'est divorcer, reprit Lucy d'un ton lugubre. Pourquoi ne pas faire les choses simplement, comme tout le monde ?

— Je t'assure que ce que j'ai en tête est très simple, fit son compagnon en arrondissant un sourcil : nous deux, nus comme au premier jour, dans un lit. Le reste viendra tout seul.

— C'est hors de question. Et tu n'aurais pas dû me faire suivre !

— Allons, que je te fasse suivre ou non n'aurait rien changé à l'affaire. Au fond, il n'y a qu'une seule chose qui te dérange vraiment dans cette histoire.

Lucy avait beau savoir qu'il l'appâtait, elle ne put s'empêcher de demander :

— Laquelle ?

— Tu as envie de moi.

— Pardon ?

— Choquant, n'est-ce pas ?

Dio s'adossa à sa chaise, amusé par la façon dont sa jeune épouse se penchait vers lui pour pouvoir parler sans être entendue des autres clients.

— Tu délires complètement !

— Oh non. Tu refuses de regarder la vérité en face, mais les faits sont là.

— Tu te trompes.

— Tu veux que je mette ma théorie à l'épreuve ? Tu te rappelles la dernière fois que nous nous sommes embrassés ? Tu as eu l'air d'aimer ça. Je pourrais recommencer, après quoi nous pourrions faire voter tous les clients du restaurant…

— Tu m'as surprise quand tu m'as embrassée ! protesta Lucy.

Elle savait qu'elle n'offrait pas, en cet instant, l'image

de l'enseignante calme et posée que lui connaissaient les habitués du lieu. Elle devait forcément laisser transparaître la façon dont elle se sentait : épuisée, désorientée, dépassée par les événements. Et excitée…

— Parfait. Comme ça, cette fois, tu seras prête. Voyons si tu peux résister à notre alchimie sexuelle.

— Pour la dernière fois, il n'y a pas la moindre alchimie entre nous, sexuelle ou autre !

— Bien sûr que si, répliqua Dio d'une voix dure. Elle est là depuis le jour où nous nous sommes rencontrés.

— Chut ! Moins fort, on va nous entendre.

Son mari balaya ses inquiétudes d'un geste impatient.

— J'ai remarqué la façon dont tu me regardes quand tu penses que je ne t'observe pas. Tu as beau m'avoir manipulé pour arranger les affaires de ton père, tu t'es trouvée prisonnière de ton propre piège. Ce que je ne comprends pas, c'est pourquoi tu me résistes. Peut-être que ton éducation t'empêche d'envisager de faire l'amour avec un homme tel que moi ?

— Comment ça ? Qu'est-ce que tu racontes ?

— Soyons honnêtes : nous venons de deux mondes complètement différents. Tu as peut-être peur d'attraper une maladie en partageant le lit de quelqu'un qui vient des classes défavorisées ?

— Comment peux-tu dire une chose pareille ? Tu crois vraiment que je suis ce genre de personne ?

— Je l'ignore. Nous ne nous connaissons pas si bien que cela, après tout.

— Alors sache que, si je n'ai pas couché avec toi, c'est parce que notre mariage n'était qu'une mascarade et…

De nouveau, son mari l'interrompit d'un geste.

— Je ne souhaite pas reparler de tout ça. La seule chose qui compte, c'est que j'ai envie de toi. Je veux te voir nue, je veux t'entendre jouir dans mes bras.

— Ça n'arrivera jamais ! se récria Lucy, les oreilles en feu.

— Si. Il faut juste que tu réfléchisses un peu, et que tu arrêtes de faire semblant de croire qu'il s'agira d'une épreuve. Ce sera le contraire d'une épreuve.

— Et d'où te vient cette certitude ? demanda Lucy d'un ton qui se voulait narquois.

— Je connais les femmes. Tu vas y prendre du plaisir. Et pense aux avantages : une pension alimentaire généreuse ; ton école refaite à neuf pour le plus grand bonheur des enfants, des parents et des professeurs… Y a-t-il meilleur moyen de commencer ta nouvelle vie, Lucy ?

Puis il se pencha, les coudes posés sur la table et reprit, le regard brillant :

— Tiens, je viens d'avoir une idée de génie. Offrons-nous la lune de miel que nous n'avons pas eue. Deux semaines. Et tu n'as pas à craindre de prolongations parce que je dois ensuite me rendre à Hong Kong pour signer un important contrat. Deux petites semaines et tu seras libre, riche et indépendante. Qu'est-ce que tu en dis ?

5.

Pendant les trois jours qui suivirent la visite de l'école, Lucy eut tout le loisir de réfléchir au marché que lui avait proposé Dio puisque celui-ci avait dû partir à New York à la dernière minute pour un rendez-vous professionnel.

Debout dans la cuisine, elle reposa le bol qu'elle s'apprêtait à ranger, préoccupée soudain. Son mari devait rentrer le soir même, ce qui signifiait que leur lune de miel effective ne durerait que onze jours au lieu des quatorze annoncés. Lucy avait gagné trois jours, mais elle n'en tirait qu'une maigre consolation. Au fond, elle savait qu'elle avait été manipulée.

Au moment de payer Anita et John pour leur repas, Dio s'était assuré de leur faire savoir qui il était et de leur faire part de son projet de rénover l'école. Il leur avait juste caché, parce que Lucy l'avait imploré, qu'ils étaient mariés.

La manœuvre avait porté ses fruits. Le récit de sa visite s'était répandu comme une traînée de poudre dans tout le quartier et tout le monde parlait déjà du futur chantier, des travaux, des commandes d'ordinateurs et de livres. Si le rêve s'effondrait, la responsabilité de cet échec incomberait à Lucy, elle en était sûre.

Mark lui-même était devenu l'un des rouages involontaires de cette machination. La veille, il était arrivé à l'école avec un catalogue de matériel informatique sous le bras, agité comme un gamin. Il avait également appelé l'un de ses amis journalistes, lequel avait promis de faire un sujet sur leur école et sur son bienfaiteur.

— Le monde est si déprimant, s'était exclamé Mark lorsque Lucy avait tenté de tempérer son enthousiasme. Les gens ont envie d'un peu d'optimisme, ils ont besoin de héros. Et comme nous en avons un sous la main, autant le montrer !

Lucy s'était retenue de ricaner. Un héros, Dio ? Dans quel univers ? Dieu merci, personne ne lui avait demandé de quoi dépendait la décision finale de son mari, parce que tous la considéraient comme acquise. Deux représentants de la mairie étaient même venus trouver Mark, ravis des retombées économiques et culturelles du projet. L'argent appelant l'argent, ils avaient offert de payer les salaires de trois enseignants à plein temps pour aider les enfants les plus défavorisés — ceux qui, fraîchement arrivés, ne parlaient pas bien l'anglais.

Dio appelait Lucy deux fois par jour sur son portable, soi-disant pour prendre de ses nouvelles. Lucy n'était pas dupe : elle savait que le but de ces appels était d'accentuer la pression.

Deux semaines. Deux semaines et elle serait libre…

Avait-il raison en affirmant qu'elle prendrait plaisir à coucher avec lui, en dépit des circonstances ? Après tout, juste avant leur mariage, elle avait attendu avec impatience leur lune de miel tant elle le désirait. Dix-huit mois plus tard, elle était toujours vierge — et plus cynique. Elle avait renoncé à ses rêves d'offrir sa virginité à un homme dont elle était éperdument amoureuse. Mais elle désirait toujours Dio, la façon dont elle avait réagi à son baiser le prouvait. N'était-il pas temps de faire preuve de réalisme ?

Le téléphone sonna, arrachant Lucy à ses ruminations. En reconnaissant la voix veloutée de son mari au bout du fil, elle n'essaya même pas de réprimer un frisson d'excitation. C'était un combat perdu d'avance. Ses défenses étaient minées de toutes parts et elle ne pouvait plus penser à Dio sans que s'embrase le cœur de sa féminité. En quelques heures, il avait démonté pierre par pierre les murailles qu'elle avait passé des mois à ériger.

— Qu'est-ce que tu fais ? demanda-t-il.

Lucy s'assit en tremblant. S'intéressait-il vraiment au porridge qu'elle venait d'avaler en guise de petit déjeuner ?

— Marie vient d'appeler pour donner sa démission, l'informa-t-il. Elle a réussi l'examen d'entrée de je ne sais quelle université et veut se consacrer à ses études. Tu vas devoir te trouver une nouvelle femme de ménage pour ton appartement parisien.

— Trouver une femme de ménage ? *Moi* ?

— Une fois que je ne serai plus ta femme, je ne pourrai pas le faire pour toi, n'est-ce pas ?

Assis dans le salon des passagers de première classe de l'aéroport JFK, Dio fronça les sourcils. Il avait appelé Lucy dans l'espoir de lui arracher enfin une réponse, pas pour discuter de la personne qui s'occupait de son appartement à Paris. Le sujet l'intéressait d'autant moins qu'il ne voulait pas envisager la vie *après* son divorce, du moins pas tant qu'il n'aurait pas obtenu de Lucy ce qu'il attendait d'elle.

— Je m'occuperai de ce problème en temps et en heure, déclara-t-il, agacé. Qu'est-ce que tu portes ? Il est tôt en Angleterre. Tu es encore en pyjama ? Tiens, maintenant que j'y pense, ça ne te paraît pas bizarre que nous ne nous soyons jamais vus en pyjama ?

Prise de court par ce changement de sujet, Lucy vira à l'écarlate. Elle s'éclaircit la gorge avant de répondre :

— Je ne vois pas ce que ma tenue vient faire dans la discussion.

Dans un soudain accès de pudeur, elle tira sur sa

nuisette pour la baisser. Le frottement du satin sur ses seins nus lui arracha un frémissement de bien-être.

— Je fais juste la conversation. Si nous devons passer les deux semaines qui viennent ensemble…

— Onze jours, l'interrompit Lucy.

Dio se détendit et s'autorisa un sourire. C'était une capitulation qui ne disait pas son nom, il le devinait. Un intense sentiment de satisfaction dissipa d'un coup sa fatigue.

— Si nous devons passer *onze jours* ensemble, reprit-il, il va bien falloir que nous fassions un peu de conversation.

— Nous n'avons fait que ça depuis que nous sommes mariés.

— Mais nous n'avons parlé que de sujets superficiels et sans intérêt. Nos rapports ont changé, désormais.

— Je ne vois pas en quoi.

— Ah bon ? Tu viens pourtant de me dire combien de temps allait durer notre lune de miel. Je prends donc ça pour un oui.

Lucy s'humecta les lèvres, au comble de la nervosité. La bretelle de sa nuisette avait glissé et elle voyait, en baissant les yeux, ses seins tendus. Bientôt, Dio aurait accès aux endroits les plus intimes de son corps. En un mouvement réflexe, elle glissa une main entre ses cuisses ; elle fut à peine surprise de se découvrir moite de désir. Apparemment, son subconscient avait pris une longueur d'avance sur elle…

— Très bien, répondit-elle de son ton le plus hautain. Tu gagnes. J'espère que tu es fier ?

— Ce n'est pas exactement de la fierté que je ressens en ce moment précis, fit la voix sourde de Dio, au bout du fil.

*
* *

Malgré tous ses efforts, Lucy nota que sa respiration s'accélérait. Dans un éclair de lucidité, elle comprit que sa capitulation n'avait rien à voir avec les raisons qu'elle s'était données : l'école, le devoir envers ses élèves et envers Mark… Non, elle avait cédé à Dio parce qu'elle avait *envie de lui*. C'était aussi simple que cela. Tout comme son mari, elle ne voulait pas mettre fin à leur relation avant de l'avoir consommée, et risquer de partir avec des regrets. Le reste — l'école, l'argent — n'était qu'un bonus.

— Je te dirais bien ce que je ressens, enchaîna Dio après quelques secondes de silence, mais je suis dans un salon d'aéroport.

— Dio ! s'écria-t-elle, offusquée. C'est… c'est…

— C'est dommage, en effet. Il va falloir que tu patientes quelques heures avant que nous puissions satisfaire notre désir mutuel.

— Ce n'est pas ce que je voulais dire !

— Non ?

— Non ! répéta Lucy avec force. Je… je suis simplement d'accord pour discuter les détails de notre… arrangement.

— Je ne comprends rien.

— J'accepte le contrat que tu me proposes, clarifia Lucy, mais seulement parce que je n'ai pas le choix.

Dio crispa une main sur l'accoudoir de son fauteuil de cuir. S'il était prêt à oublier le passé le temps de leur lune de miel, il attendait de sa femme qu'elle fasse de même.

— Quel enthousiasme, railla-t-il.

— Tu m'excuseras de ne pas sauter de joie ! Tout le monde s'imagine que tu vas acheter l'école et la restaurer. Je suis au pied du mur.

— Arrête, tu vas me faire pleurer.

— Quelle garantie ai-je que tu tiendras parole ? Qu'après la lune de miel…

— Tu n'as pas la moindre garantie, coupa Dio.

Cette fois, il se sentait insulté. Il avait toujours été un homme d'honneur, une qualité rare dans le milieu où il avait grandi, et plus encore dans celui des affaires.

— Il va falloir que tu me fasses confiance, renchérit-il.

Lucy ne répondit rien, un silence qu'il reçut comme une gifle en plein visage.

— Je tiens toujours parole, déclara-t-il d'un ton glacial. Contrairement à d'autres.

Lucy songea à son père, un homme qui avait bien failli ruiner ses propres employés, et fut assaillie par une bouffée de culpabilité. Etait-ce à lui que Dio faisait allusion ? Elle devait reconnaître que son mari ne lui avait jamais menti. Même lorsqu'il l'avait demandée en mariage, se rappela-t-elle tout à coup, il ne lui avait jamais dit qu'il l'aimait. Son instinct lui soufflait qu'une fois sa parole donnée, il s'y tenait.

— Tu veux que je réserve quelque part ? demanda-t-elle. Ou préfères-tu te servir de l'une de tes résidences, pour plus de simplicité ?

— Je n'ai pas besoin que tu joues les secrétaires. C'est un tue-l'amour.

Lucy serra les dents, déterminée à lui rappeler que leur lune de miel n'était pas un voyage romantique, mais le fruit d'une décision rationnelle, calculée.

— Il faut bien que quelqu'un prenne les billets d'avion, non ?

— Je te dis de ne pas t'en occuper. Mon assistante se chargera de tout.

— Où allons-nous ? Et quand partons-nous ?

— Je suis à JFK. J'aurai juste besoin de quelques heures pour régler de menus détails à mon retour. Sois prête à partir demain.

— Quoi ? se récria Lucy. Mais je ne peux pas partir aussi vite !

— Bien sûr que si. Je t'ai dit que ma secrétaire se

74

chargerait de tout. Tout ce que tu as à faire, c'est te préparer pour moi.

— *Me préparer pour toi* ?

L'indignation de Lucy fit rire Dio. Une chose était sûre : *lui* était prêt pour elle, comme en attestait l'érection qui l'empêchait de quitter son fauteuil. Il brûlait d'envie de découvrir les seins de sa superbe épouse, qu'il n'avait fait que deviner sous le décolleté de ses robes de soirée. Il se demanda de quelle couleur étaient ses mamelons. Il les imaginait d'un rose pâle, un cercle parfait qui n'attendait que ses lèvres. Quel goût aurait-elle quand il se perdrait entre ses cuisses ?

Qui d'autre avait profité avant lui de ce corps de rêve ? s'interrogea-t-il subitement. Il chassa cette pensée déplaisante avant qu'elle puisse s'enraciner.

— Oui, te préparer pour moi. Sers-toi de ton imagination, conseilla-t-il.

— Bien, mon général ! marmonna Lucy.

Elle l'entendit éclater de rire au bout du fil. C'était le rire d'un homme qui savait ce qu'il faisait, et qui venait d'obtenir exactement ce qu'il voulait. Elle se dandina d'une jambe sur l'autre avant de trouver le courage de demander :

— Qu'est-ce que je dois prendre dans ma valise ? Un maillot de bain ? Des moufles ?

— Rien. Je m'arrangerai pour que tu aies tout ce qu'il faut à destination.

— Je ne veux pas être habillée comme une poupée Barbie ! Ça ne fait pas partie du marché.

— Je dois y aller, déclara Dio comme s'il ne l'avait pas entendue. Je te vois dans quelques heures.

— Mais tu ne m'as toujours pas dit où nous allions !

— Je sais. C'est excitant, non ? Je meurs d'impatience. Sur ces mots, il raccrocha. Lucy fixa le combiné avec incrédulité, luttant contre un sentiment de panique. Cette fois, il n'était plus question de reculer…

La journée s'étirait, interminable. Lucy faisait de son mieux pour se concentrer sur la vie qui l'attendait après leur lune de miel, mais son esprit s'obstinait à lui représenter des images de Dio et elle dans des positions classées X. Et comment voulait-il qu'elle se prépare si elle ignorait où ils se rendaient ? L'Antarctique ? Les Caraïbes ? Une grande ville ? La campagne ? Dio lui-même le savait-il, ou comptait-il sur sa secrétaire pour choisir à sa place ?

Plus les heures passaient, plus la nervosité de Lucy, qui guettait le retour de Dio les yeux rivés sur les aiguilles de sa montre, augmentait.

En général, elle s'apprêtait pour l'accueillir — c'était le rôle qui lui avait été assigné, et elle le jouait à la perfection. Or tout avait changé entre eux, et elle avait passé un simple jean, ainsi qu'un vieux T-shirt qui datait de ses années d'université. Elle ne s'était pas maquillée et n'avait pas attaché ses cheveux, les laissant retomber naturellement sur ses épaules.

Elle se tenait au même endroit que le jour où elle lui avait annoncé son intention de divorcer quand une voix se fit entendre derrière elle :

— Je me demandais si tu serais encore debout.

Lucy bondit. Comment n'avait-elle pas entendu son mari entrer alors que le moindre bruit la faisait sursauter ?

Dio avança dans la pièce et abandonna sa veste, qu'il tenait d'un doigt par-dessus son épaule, sur le canapé le plus proche. Le vol avait été fatigant, même en première classe, mais le spectacle de sa femme lui fit aussitôt oublier sa lassitude.

— Tu veux boire quelque chose ?

Un sentiment de déjà-vu assaillit Lucy qui suivit Dio sans mot dire en direction de la cuisine. Cette fois, elle avait mangé et elle supposait que lui aussi. Au moins, ils n'auraient pas à dîner ensemble et à jouer au parfait petit couple.

— Je… je pensais que nous pourrions parler de ce qui va se passer demain. J'ai besoin de savoir à quelle heure nous partirons. J'ai pris quelques affaires mais…

Elle s'interrompit, la gorge sèche. Le regard gris de son mari la traversait telle une épée et Lucy déglutit, horriblement mal à l'aise. Dio était d'une beauté à couper le souffle. Son expression indiquait clairement qu'il n'avait pas la moindre envie de discuter de préparatifs de voyage.

Lucy avait l'impression désagréable d'être une souris entre les pattes d'un chat. Elle voulut lui rappeler que leur lune de miel ne commencerait que le lendemain, et qu'elle comptait bien dormir seule ce soir, mais sa langue était soudée à son palais.

— Tu as pensé à moi ? s'enquit Dio d'une voix rauque. Moi, j'ai pensé à toi.

Il s'avança vers elle, et fut amusé de l'entendre pousser un couinement effrayé.

— Que… qu'est-ce que tu fais ?

— A ton avis ?

— Je… je croyais que… que…

— *Que… que* quoi ? bégaya-t-il en l'imitant.

— Que nous attendrions d'être partis pour… pour…

— Nous avons déjà perdu assez de temps avec ce voyage impromptu à New York, tu ne crois pas ? Tu as gagné trois jours. Je paye pour deux semaines et je compte bien en avoir pour mon argent.

Lucy n'eut pas l'occasion de protester ni de faire valoir la dizaine d'arguments qu'elle avait préparés à cet effet :

son mari la prit dans ses bras, avec une soudaineté qui lui coupa le souffle, et se dirigea vers l'escalier.

Au premier étage, il ouvrit la porte de sa chambre d'un coup de pied et déposa Lucy sur son lit.

Lucy était venue bien des fois dans cette chambre, toujours en l'absence de Dio. C'était une pièce masculine, décorée de meubles solides aux lignes élancées, qui reflétaient la personnalité de leur propriétaire. Elle se rappelait y être entrée un matin, peu après le départ de son mari pour l'un de ses voyages, afin d'y ouvrir les rideaux. Elle s'était figée en avisant l'empreinte du corps sur le matelas et avait tendu la main pour la toucher. Les draps étaient encore tièdes et elle avait bondi en arrière aussi vivement que si elle s'était piquée.

Dio se recula après avoir déposé sa femme sur le matelas et croisa les bras. Pour une fois, il n'était plus certain de savoir quoi faire. Il s'était senti sûr de lui quand il l'avait prise dans ses bras comme un homme des cavernes, mais maintenant...

Il se passa une main dans les cheveux et s'approcha de la fenêtre, d'où il observa quelques instants le jardin plongé dans l'obscurité avant de refermer les volets. Allongée sur le lit, Lucy étudiait son mari sous ses paupières mi-closes. Son cœur battait la chamade, son sang rugissait tel un torrent furieux dans ses veines. Elle avait tellement envie de lui qu'elle se demanda si elle n'allait pas se trouver mal. Dio ne bougeait pas, se contentant lui aussi, à présent, de l'observer à distance.

Peut-être avait-il repris ses esprits et regrettait-il son impulsivité maintenant qu'il la voyait dans sa chambre ? Peut-être avait-il honte du chantage qu'il avait exercé ?

Et si c'était le cas, pourquoi Lucy n'en était-elle pas

soulagée ? Pourquoi ne profitait-elle pas de cet instant de répit pour convaincre Dio de lui accorder le divorce sans conditions ?

Parce qu'elle avait envie de lui, elle en revenait toujours à la même conclusion. S'il n'avait pas évoqué la possibilité qu'ils couchent ensemble, elle aurait pu partir la tête haute, drapée dans ses convictions. Mais il avait entrouvert une porte qu'elle ne pouvait plus refermer, malgré tous ses efforts. La tentation était trop forte…

Lucy se tortilla sur le lit et se redressa sur les coudes. Heureusement, ses cheveux cachaient presque son visage en feu. Dio était son mari, mais elle se sentait aussi gauche qu'une adolescente seule avec un garçon pour la première fois — ce qui, d'ailleurs, n'était pas loin de la vérité.

— Qu'est-ce que tu attends ? trouva-t-elle la force de demander. Ce n'est pas ce que tu voulais ? Profiter au maximum des deux semaines que tu as *payées* ?

Dio s'assombrit, plus en colère contre lui-même que contre Lucy. Etait-ce l'impression qu'il lui avait donnée, d'être un rustre dénué de sentiments ?

— Nous sommes mariés depuis un an et demi et nous n'avons jamais fait l'amour ensemble, lui rappela-t-il en un effort désespéré pour se justifier. Tu penses que j'ai fait une bonne affaire ?

Il avait parlé d'un ton plus dur que nécessaire et il vit Lucy tiquer. Pourtant, elle haussa aussitôt les épaules.

— Nous avons tous les deux fait une mauvaise affaire, murmura-t-elle.

Dio faillit la contredire, mais il vit au tremblement de son menton que Lucy n'était pas aussi sûre d'elle qu'elle voulait le faire croire. Une nouvelle fois, son comportement ne collait pas avec l'image de croqueuse de diamants qu'il avait d'elle. Quelque chose clochait, et il aurait tout donné pour savoir quoi. Même la meilleure actrice du monde ne pouvait pas feindre la nervosité qu'il lisait dans son regard, ou la façon dont elle avait crispé les doigts sur les draps.

— Alors ? reprit-elle. Qu'est-ce qui t'arrive ? Tu ne vas pas t'arrêter à deux doigts de la ligne d'arrivée ?

— Je suis en train de me rendre compte que je ne suis pas si attiré que ça par les martyres.

— Allons, tu paies assez cher pour profiter de moi sans devoir t'embarrasser de scrupules.

— Je ne te savais pas aussi cynique, Lucy.

— J'ai mûri, déclara-t-elle d'une voix presque inaudible, un éclat de douleur dans le regard.

Un long silence s'étira, puis Dio se détourna soudain.

— Tu peux regagner ta chambre, dit-il en déboutonnant son col. Le vol a été long et j'aimerais me reposer. Je vais prendre une douche et me coucher.

Lucy hésita, tentée par l'échappatoire qu'il lui offrait. Elle pouvait jouer les victimes et s'éclipser. Toutefois c'était un rôle qu'elle jouait quotidiennement depuis sa naissance, et elle en avait assez. Elle avait enfin l'occasion de prendre son destin en main et elle comptait bien la saisir.

— Et si je n'ai pas envie de regagner ma chambre ?

Dio se retourna lentement, les doigts figés sur les boutons de sa chemise. Menton en avant, retenant sa respiration, Lucy le dévisageait avec une expression presque comique.

— Qu'est-ce que tu veux dire ?

— Tu sais très bien ce que je veux dire.

— Je préfère l'entendre énoncé avec clarté, histoire d'éviter tout malentendu.

— Très bien. Je suis… curieuse, d'accord ?

— A quel sujet ? demanda Dio en approchant du lit.

— Je me suis demandé comment ce serait. Entre toi et moi.

— Alors que tu me snobes depuis des mois ?

— Je suis faite de chair et de sang.

— Tu m'as plutôt donné l'impression d'être faite de glace.

— C'est faux. Je me suis toujours montrée très aimable avec tes clients.

— Peut-être que je suis jaloux des sourires que tu leur accordes, murmura Dio.

Il se remit à déboutonner sa chemise, troublé par l'intensité avec laquelle sa femme le regardait.

Lucy était totalement captivée. Combien de fois avait-elle rêvé de ce moment ? Et comment avait-elle pu se persuader qu'elle avait vaincu le désir qui l'étourdissait en cet instant ?

Elle ne put réprimer un hoquet de stupéfaction lorsque Dio laissa tomber sa chemise à terre, révélant un torse glabre et cuivré.

— Alors comme ça, tu es curieuse… ? demanda-t-il d'une voix traînante.

Hypnotisée par le strip-tease de son futur ex-mari, Lucy se trouva bien en peine de répondre. Elle acquiesça fébrilement, sans détacher les yeux de la bosse qui gonflait l'entrejambe de son pantalon.

— Je dois avouer que je suis curieux moi aussi, reprit-il. Il est temps à présent que tu me retournes la faveur.

— Euh… quoi ?

— Je me déshabille pour toi, tu te déshabilles pour moi, expliqua-t-il. Simple échange de bons procédés.

— Tu veux que je… que je…, bégaya-t-elle de plus belle.

— Nous sommes mari et femme. La nudité ne devrait pas nous gêner.

— Je déteste quand tu fais ça, marmonna Lucy.

Le sourire que lui adressa Dio emporta ses dernières réticences avec la force d'un tsunami.

— Quand je fais quoi ? demanda-t-il.

— Oh ! ne joue pas les innocents !

Mais elle sourit à son tour et se redressa en position assise. Ses doigts tremblaient, ses mains tremblaient, son corps tout entier tremblait. Dio ignorait qu'elle n'avait pas la moindre expérience de ce genre de situation. Il y avait bien eu quelques baisers maladroits avec des garçons à l'université, mais les choses n'étaient jamais allées plus loin.

Une attaque de panique la paralysa quelques secondes. Lucy la domina. Elle était là par choix, parce qu'elle avait décidé de prendre son destin en main. Le vin était tiré et elle le boirait ; jusqu'à la lie.

Elle prit une inspiration, puis fit passer son T-shirt par-dessus sa tête et l'envoya rejoindre la chemise de Dio. Avec un sourire approbateur, ce dernier dardait sur elle un regard gourmand, les bras croisés sur son torse sculptural. Les paupières closes, Lucy dégrafa son soutien-gorge.

— Tu peux ouvrir les yeux, fit Dio.

Il se demandait comment il pouvait encore parler tant le spectacle que lui offrait sa femme était à couper le souffle. Elle était mince, avec de petits seins fermes et pointus, sexy en diable. Ils étaient tels qu'il les avait fantasmés, couronnés d'aréoles d'un rose juste un peu plus sombre que dans son imagination. A la vue des tétons de Lucy, dilatés par le désir, Dio sentit son sexe durcir plus encore, ce qu'il n'aurait jamais cru possible.

Non sans effort, Lucy rouvrit les yeux et, craintive, coula un regard vers son mari. Elle se demandait comment elle avait trouvé le courage de se déshabiller devant lui, mais la beauté presque surnaturelle de Dio lui fit oublier ses doutes en une fraction de seconde.

Avec une lenteur délibérée, il déboucla sa ceinture et, d'un même mouvement, entraîna son pantalon et son caleçon. Il n'était à l'évidence pas pudique car il posa ses mains sur ses hanches et laissa Lucy le détailler à loisir.

— A ton tour, ordonna-t-il, un pétillement malicieux dans le regard. Après quoi je te laisserai toucher.

Les yeux rivés à ceux de Dio, Lucy se débarrassa de son jean, mais n'osa pas enlever sa culotte. Avec la souplesse d'un léopard, il s'agenouilla sur le lit et s'approcha d'elle. Sa main glissa entre ses cuisses et se posa sur la dentelle qui protégeait encore sa féminité. Puis il l'écarta et remonta un doigt jusqu'à son clitoris.

Avec un long gémissement de plaisir, Lucy écarta les jambes. Une petite voix lui soufflait d'avouer à son mari qu'elle était vierge, mais elle était incapable d'articuler le moindre son.

De toute façon, il s'en apercevrait bien assez tôt…

6.

Dio se plaça entre les cuisses de Lucy et la dévisagea un moment sans rien dire, les doigts encore humides de l'avoir touchée aussi intimement.

Elle semblait incapable de le regarder dans les yeux, alors il lui prit gentiment le menton pour la forcer à le faire. Il avait tellement envie d'elle que son érection était devenue douloureuse. Mais il avait également conscience de la nervosité de Lucy. Après un bref combat intérieur, il soupira et roula sur le côté, la joue appuyée sur un coude.

— Ne me dis pas que tu es revenue sur ta décision, murmura-t-il, empêchant la jeune femme de tirer le drap sur ses seins nus.

L'audace qui animait Lucy jusque-là s'évanouit brusquement. Son mari était le plus bel homme qu'elle avait jamais vu ; il était plus séduisant encore en réalité que dans ses fantasmes les plus fous. Ses muscles puissants roulaient sous sa peau au moindre de ses mouvements. Ses épaules étaient larges, ses hanches étroites, ses abdominaux ciselés. Une telle perfection la faisait trembler de nervosité et lui rappelait son inexpérience.

Dio avait dû coucher avec un nombre incalculable de femmes. Son absence totale de pudeur en témoignait, tout comme la langueur sensuelle qui alourdissait ses gestes. Lucy dut faire un effort prodigieux pour ne pas bondir du lit, récupérer ses vêtements par terre et se rhabiller.

— Non, je n'ai pas changé d'avis, répondit-elle enfin, la gorge sèche.

S'il s'était montré impatient, ou brutal, elle aurait peut-être trouvé la force de reprendre ses esprits et de regagner sa propre chambre. Mais il avait parlé d'une voix étonnamment douce, qui fit refleurir en elle des émotions qu'elle avait cru éteintes depuis le jour de leur mariage.

— Alors pourquoi cette réticence ? demanda Dio.

Il suivit d'un doigt le contour d'un mamelon sombre, en un mouvement de spirale qui se referma sur sa pointe. Il vit le téton se durcir et, penchant la tête, le taquina d'un petit coup de langue.

Lucy étouffa un gémissement.

— Je… je ne pensais pas que nous nous retrouverions dans cette situation, confessa-t-elle.

Elle s'attendait à voir son époux se réfugier derrière la muraille qui les séparait habituellement mais, une nouvelle fois, il la prit de court par sa franchise :

— Moi non plus. Même si ce n'était pas faute d'en avoir envie.

— J'ai peur, reconnut Lucy avec un rire nerveux. Je… je ne sais pas si je corresponds à tes attentes, sans mes vêtements.

— Comment ça ?

— Je ne suis pas la femme la plus sensuelle de la planète, expliqua-t-elle avec une légèreté forcée. Je suis trop plate. A l'école, pendant que les autres filles prenaient de la poitrine et des hanches, je poussais seulement en hauteur. Les hommes aiment les femmes à gros seins, c'est bien connu.

— Ah bon, c'est connu ? répéta Dio.

Il dessina de la langue le tracé d'une aréole hérissée de plaisir.

— Heu… Oui. Tu n'as jamais vu un film, hum…
pour adultes ? bredouilla-t-elle.

— Je dois avouer que ce n'est pas mon passe-temps
favori. La réalité m'intéresse davantage que n'importe
quel film, en tout cas dans ce domaine-là.

La situation le déroutait, l'intriguait et l'amusait tout
à la fois. En proposant une lune de miel tardive à Lucy,
il ne s'était pas attendu à parler autant. Il n'avait jamais
palabré à ce point dans un lit.

Mais Lucy le fascinait. Et, jusqu'à aujourd'hui, il ne
s'était jamais demandé pourquoi, supposant que c'était
une réaction naturelle à son refus de coucher avec lui.
C'était sans doute pour cette même raison qu'il n'avait
jamais cessé de la désirer et qu'il n'était pas allé voir
ailleurs en dix-huit mois d'abstinence totale. Lucy n'avait
même pas paru se soucier de savoir ce qu'il faisait dans
son dos, ce qui avait ajouté à sa frustration.

Il mourait d'impatience de la faire enfin sienne, une
expérience trop longtemps retardée qui lui permettrait
enfin d'aller de l'avant. Mais si elle avait besoin de parler
avant l'acte, d'être rassurée, Dio était prêt à prendre son
mal en patience. Il avait attendu un an et demi, quelques
minutes de plus n'y changeraient pas grand-chose.

Ce qu'il comprenait moins, en revanche, c'était
l'autodénigrement dont elle faisait preuve. D'où venait
ce manque de confiance en elle ? Elle avait grandi dans
un confort douillet, sans doute bercée dès son plus jeune
âge par la certitude que le monde lui appartenait. Certes,
son père était un homme peu scrupuleux, mais Dio ne
voyait pas en quoi cela aurait pu affecter l'éducation
de Lucy. Elle savait se comporter en société, avait
toujours un bon mot pour ses amis ou ses clients ; elle
était drôle mais digne, dénuée de la moindre vulgarité.
La Lucy qu'il connaissait débordait d'assurance et avait
une forme d'autorité tranquille. La biche tremblante

qui le regardait comme s'il était un loup affamé ne lui ressemblait en rien…

Malgré son impatience, Dio était donc curieux de savoir où elle voulait en venir. Il lui embrassa la commissure des lèvres et, avec un soupir, elle roula à son tour sur le côté pour lui faire face. Ils étaient si proches que la pointe de son sexe effleurait le ventre de Lucy.

— Ne bouge pas trop, lui conseilla-t-il sans desserrer les dents. Sinon, tu vas avoir droit à un feu d'artifice.

Elle s'empourpra violemment et baissa les yeux vers l'érection de Dio.

— Il faut que tu saches, reprit Lucy d'une voix hésitante, que je ne suis pas aussi expérimentée que tu l'imagines.

— Je n'ai jamais cru que tu étais nymphomane, rassure-toi.

— Non, je ne suis pas nymphomane. Je ne suis tellement pas nymphomane, d'ailleurs, que… je n'ai *aucune* expérience en la matière.

— Comment ça, aucune ? s'étonna Dio, sourcils froncés.

Lucy posa sur lui un regard éloquent, et il écarquilla les yeux, incrédule.

— Tu veux dire que… tu n'as jamais couché avec un homme ?

— N'en faisons pas non plus un drame, marmonna-t-elle, mortifiée.

Dio garda le silence si longtemps qu'elle se demanda s'il cherchait une façon polie de se sortir du mauvais pas dans lequel il s'était fourré.

— Pourquoi ? murmura-t-il enfin.

— Cette discussion ne me met pas particulièrement à l'aise, confessa Lucy avec un rire nerveux. Je pensais juste que tu devais le savoir. Comme ça, si tu es déçu, tu en sauras au moins la raison.

Sans un mot, Dio se redressa et posa ses pieds nus par terre. Sa femme était vierge. *Vierge* ! Il eut beau se le répéter, il n'arrivait pas à comprendre. Comment était-ce possible ? Comment avait-elle pu tenir les hommes à distance avec une telle beauté ? Et pourquoi l'avait-elle fait ? Il passa ses doigts en éventail dans ses cheveux et se leva.

Lucy remonta le drap sur ses seins, le moral en berne. C'était un véritable cauchemar. Comment avait-elle pu croire un seul instant que coucher avec Dio était une bonne idée ? Son mari était un homme du monde, sophistiqué et expérimenté. Il ne s'intéressait pas aux jeunes femmes vierges qui ne savaient pas ce qu'elles faisaient.

Elle avait dû perdre la tête, c'était la seule explication possible.

A son grand dam, Dio ne paraissait pas éprouver le besoin de se couvrir, alors qu'elle tenait le drap serré contre elle comme si sa vie en dépendait. Il s'était installé dans un fauteuil, son érection à peine diminuée. Il semblait aussi à l'aise en tenue d'Adam que dans l'un de ses costumes italiens.

— Pourquoi ? répéta-t-il. Comment est-ce possible ?

— Je n'ai juste... jamais eu l'occasion de le faire, répondit Lucy, penaude.

Dio plissa les lèvres — l'explication ne le satisfaisait apparemment pas. Eh bien, il lui faudrait s'en contenter, songea-t-elle. Elle se voyait mal lui expliquer comment, enfant, elle avait assisté à l'humiliation de sa mère. Comment l'égoïsme de son père, son absence totale de principes et de fidélité à ses vœux de mariage l'avaient convaincue de réserver sa virginité à un homme qui en valait la peine.

Un homme qui en valait la peine. Pour un peu, elle

aurait éclaté de rire. Quelle ironie qu'elle ait choisi Dio ! Non, il n'avait vraiment pas besoin de savoir cela…

— Tu es bien allée en pension, non ? reprit-il.

— Oui. Quel rapport avec la situation ?

— Je pensais qu'en pension, des garçons bourrés de testostérone escaladaient les fenêtres des filles pour les corrompre.

Un éclat amusé pétillait dans son regard, si inattendu que Lucy se détendit malgré elle.

— Pas dans la mienne, lui confia-t-elle. Nous avions une surveillante particulièrement féroce. Un vrai dragon. Elle accueillait tout visiteur masculin à grands coups de balai.

— Et je suppose que ton père était tout aussi protecteur à l'égard de sa fille chérie ? reprit Dio d'une voix plus dure.

Lucy haussa les épaules : encore une question à laquelle elle préférait ne pas répondre. Oui, son père avait découragé bien des prétendants, mais pas pour les raisons que supposait Dio. C'était simplement qu'aucun ne venait d'une famille assez riche pour présenter un intérêt quelconque à ses yeux.

Dio, qui étudiait sa femme avec attention, vit une ombre passer tel un nuage sur son visage. Il fut soudain pris d'un vif désir de savoir ce qu'elle cachait.

— Je comprendrais que tu veuilles en rester là, enchaîna la jeune femme avec un rire haut perché qui trahissait son agitation. Je me rends bien compte que tu n'as pas signé pour une partenaire aussi inexpérimentée…

Dio se leva et revint vers le lit. Lucy était vierge. L'idée l'ébranlait, mais faisait aussi surgir en lui un instinct protecteur qu'il ne se connaissait pas. Tous ses regards en coin qu'il avait surpris au cours des derniers mois prenaient tout à coup une signification nouvelle. Il n'aurait jamais pu deviner son secret — mais, pour être honnête avec lui-même, il n'avait pas beaucoup cherché. Il s'était contenté de la façade de sophistication qu'elle lui offrait sans jamais la remettre en question. Et pourquoi l'aurait-il fait, d'ailleurs ? Son père et elle l'avaient roulé, il ne l'oubliait pas.

— Je suis surpris d'apprendre que tu n'as jamais fait l'amour à un homme, déclara-t-il. Choqué, même. Mais ça ne diminue en rien mon désir. Je ne sais pas où tu es allée chercher une idée pareille.

Sa voix était basse, son regard brillant. Il remonta sur le lit et, un sourire aux lèvres, tira sur la couette que Lucy avait remontée jusqu'à son menton dans un accès de pudeur.

— Mais puis-je te poser une question, ma chère épouse ? Pourquoi avoir choisi, pour ta première fois, un homme que tu souhaites quitter ? C'est inhabituel, non ?

Lucy hésita, se demandant quelle réponse lui donner. Pour une fois, elle choisit la vérité.

— Parce que j'ai envie de toi, murmura-t-elle.

— Et ça suffit à te faire oublier le fait que tu me détestes ?

Elle aurait pu lui retourner la question, mais elle savait que les hommes et les femmes étaient différents. Les femmes cherchaient l'amour, les hommes le sexe. Voilà pourquoi Dio avait ri quand, juste avant leur mariage, elle lui avait demandé s'il avait déjà été amoureux. Lucy avait beau le détester et le vouer quotidiennement aux gémonies, une partie d'elle-même restait aveuglément éprise de lui.

Bien entendu, elle se serait fait arracher la langue plutôt que de l'avouer…

— Oui, répondit-elle avec le plus de détachement possible.

Dio fronça les sourcils, agacé. Leur mariage était une simple transaction, il était le premier à l'admettre.

Alors pourquoi l'attitude de sa femme l'affectait-elle à ce point ?

— J'étais jeune quand nous nous sommes mariés, Dio. A l'époque, je finissais mes études de mathématiques et je n'avais que ça en tête. Ce qui ne me laissait pas beaucoup de temps pour les hommes.

— Tu veux dire que je suis le premier que tu aies désiré ?

— Disons que tu n'es pas désagréable à regarder.

— Dans ce cas, pourquoi avoir attendu jusqu'à aujourd'hui ? Pourquoi avoir attendu dix-huit mois ?

Lucy retint son souffle, se demandant une fois de plus comment répondre à une telle question.

— Peut-être que je te ressemble plus que je ne le croyais, hasarda-t-elle enfin. A présent que je sais que nous allons divorcer...

— Ça reste à voir, coupa-t-il.

— C'est tout vu, répliqua-t-elle sans hésiter. J'ai accepté ta condition.

Puis, afin de s'éviter l'humiliation d'exposer ses véritables motivations, elle ajouta :

— Et tu avais raison. Je ne veux pas partir sans rien. Je ne sais pas ce que c'est que de vivre sans le sou.

— Bien sûr. Ton cher papa t'a gâtée jusqu'au bout, même quand il croulait sous les dettes.

— Peu importe, asséna Lucy, qui n'avait pas la moindre envie de penser à son père. Le fait est que nous allons nous séparer dans deux semaines, et que je n'ai pas de raison de te cacher que tu m'attires. Coucher avec toi est une étape logique. Comme tu l'as dit toi-même, j'y prendrai du plaisir.

Le discours de sa femme aurait dû réjouir Dio, apaiser les tourments de sa conscience. Pour une raison qu'il ignorait, il ne faisait qu'accentuer sa frustration.

— Et si je te disais que tu peux avoir l'argent sans contrepartie ? s'entendit-il proposer.

Lucy le scruta, visiblement stupéfaite. Et Dio l'était tout autant qu'elle !

— Tu es sérieux ?

— Oui.

Dio fit taire la petite voix furieuse qui lui demandait ce qu'il était en train de faire. Il ne devait rien à cette femme. Elle l'avait manipulé, elle s'était servie de lui et avait décidé de le jeter lorsqu'il avait cessé de lui être utile. Il n'avait pas le moindre scrupule à réclamer ce qu'elle lui devait et à la forcer à coucher avec lui.

Non, ce n'était pas une question de principes, mais de fierté. Il ne voulait pas qu'elle lui cède seulement parce qu'il avait agité une carotte sous son nez. Il ne doutait pas qu'elle avait envie de lui, mais c'était le cas de la majorité des femmes qu'il rencontrait. La question était de savoir si elle le désirait assez pour faire l'amour avec lui sans motivation financière.

Dio s'en voulait de la tournure de ses pensées. Mais des doutes l'assaillaient et il ne pouvait plus les arrêter.

— Tu peux partir, Lucy. Tu auras tout ce que je t'ai promis, sans conditions.

— Tu veux dire que…

— Tu n'es pas obligée de coucher avec moi, non.

Avec un soupir, Dio s'étendit sur le dos, croisa les mains derrière la tête et fixa le plafond. C'était donc cela, d'être un type bien ? Il ne trouvait pas la sensation particulièrement agréable…

— Vraiment ? fit enfin Lucy, sortant de son mutisme stupéfait.

— Vraiment, confirma Dio, faisant de son mieux pour ignorer le corps nu de sa femme à quelques centimètres du sien. Tu peux maintenant me montrer ton vrai visage, si tu veux. Tu peux te rhabiller et partir.

— J'étais sincère quand j'ai dit que je voulais coucher avec toi. L'argent n'y est pour rien.

Dio ne tenta pas de réprimer le sentiment de triomphe qu'avait provoqué la réponse de sa femme. Il roula sur le côté et, cette fois, étudia son épouse à loisir.

— Tu es en train de me dire que tu te sers de moi comme d'un jouet sexuel ? demanda-t-il.

— Et si je te réponds que oui ?

— Je survivrai. Allonge-toi, maintenant. Je crois que je n'ai jamais parlé autant avant de faire appel à une femme.

Lucy s'étendit sur le lit, s'arc-boutant en un mouvement qui exposa ses seins au regard de Dio. Avec un soupir rauque, il déposa un sillon de baisers le long de son cou, puis descendit et referma les lèvres sur un téton — il avait un goût légèrement sucré. Il le suça avec délectation lorsqu'il durcit dans sa bouche. D'une main, il caressait son autre sein.

Il devait faire appel à toute sa volonté pour freiner son désir. Lucy était vierge, et ce simple mot changeait tout. Il était le *premier*, une perspective qui fit exploser en lui un instinct possessif. Il prit son temps pour se placer entre ses jambes, malgré l'excitation qui l'empêchait presque de respirer. Lucy serra instinctivement les genoux ; il l'en empêcha. C'était une première pour elle et, d'une certaine façon, pour lui aussi. Le léger tremblement qu'elle tentait de réprimer encouragea Dio à faire preuve de plus de douceur encore.

Il se pencha pour soumettre son autre sein à la même torture, le léchant et le taquinant jusqu'à ce que Lucy se torde de plaisir, les doigts mêlés à ses cheveux pour le plaquer plus étroitement contre elle. Puis il entama une descente vertigineuse sur son ventre, ne s'arrêtant que pour suivre le dessin de son nombril du bout de la langue, avant de reprendre son enivrant voyage.

Lucy rouvrit les yeux quand elle sentit les lèvres de son compagnon sur l'intérieur de sa cuisse.

— Dio…

Il redressa la tête et lui sourit.

— Quoi ?

— Je… je…

— Détends-toi. Fais-moi confiance. Tu vas trouver ça très agréable. Et ne ferme pas les yeux. Je veux que tu me voies t'embrasser là…

Joignant le geste à la parole, il glissa la langue entre les pétales brûlants de son sexe. Il s'étonna une nouvelle fois de ne pas avoir remarqué, au cours des derniers mois, à quel point elle le désirait.

Les yeux grands ouverts, Lucy regardait Dio lui donner du plaisir. Les arabesques de sa langue autour de son clitoris lui arrachaient des tressaillements d'extase. Elle se cambra contre lui, presque involontairement, et gémit quand il glissa un doigt en elle — sans pour autant cesser l'hommage de ses lèvres.

Des vagues de sensations s'abattaient sur elle, de plus en plus hautes, de plus en plus violentes. Elle ne voulait pas jouir ainsi ; elle aurait préféré le faire avec Dio en elle. Mais elle explosa malgré tous ses efforts pour se retenir, criant le prénom de son premier amant sous le coup d'un orgasme d'une intensité étourdissante.

— Je… je suis désolée, bredouilla Lucy lorsqu'elle reprit enfin conscience de son environnement.

Elle voulut se détourner, les joues rouges, mais Dio lui captura le menton pour la forcer à le regarder.

— Tu n'as pas de raison d'être désolée. Sauf si ça ne t'a pas plu… ?

— Tu sais très bien que ça m'a plu, grommela-t-elle. Mais… Je ne voulais pas… enfin, tu sais. Pas comme ça.

— Je comptais t'amener à l'orgasme, Lucy, alors ne t'excuse pas. Ce ne sont que les préliminaires. Ne t'inquiète pas, tout va bien se passer.

Elle lui sourit, émue et surprise de constater qu'un homme connu pour être impitoyable était capable d'une telle douceur. Mais n'était-ce pas, après tout, la marque de fabrique d'un amant expérimenté ?

Elle le sentit qui se présentait à l'orée de son sexe. Son corps s'ouvrit comme une fleur sous la poussée qu'il exerça. Elle se redressa à demi, le souffle coupé par une onde de plaisir que n'atténua en rien une fugace sensation de brûlure.

— Je… Dis-moi quoi faire, hoqueta-t-elle.

— Fais ce que ton instinct te dicte, murmura Dio en ressortant lentement. Et ne réfléchis pas. C'est tout.

« C'est tout ? » Ses instructions semblaient déjà bien assez compliquées à Lucy. Mais Dio l'embrassa, éteignant aussitôt la flamme d'angoisse qui s'était rallumée en elle. Elle se perdit dans ce baiser, excitée par son propre goût sur les lèvres de son amant. Spontanément, elle descendit une main entre leurs deux corps et referma les doigts sur son érection. Sa langue contre la sienne, elle entama un mouvement de va-et-vient.

Dio ferma les yeux avec un soupir rauque. Enivrée par le pouvoir qu'elle se découvrait sur lui, Lucy descendit et le prit dans sa bouche, taquinant l'extrémité de son membre de la langue. Elle n'avait jamais fait une chose pareille de sa vie ; or Dio, à en juger par son expression de concentration extatique, ne semblait pas se soucier de son manque d'expérience. Leurs peaux étaient luisantes de sueur, et elle aurait juré que le sexe de son mari venait de gonfler encore sous la caresse de ses lèvres.

Après quelques minutes, il la prit par les épaules et la repoussa, avec un sourire vacillant.

— Il vaut mieux que tu t'arrêtes là si nous voulons faire durer ce moment.

Lucy se rallongea et guida le membre de Dio vers l'orée de sa féminité. Cette fois, il pénétra en elle d'un mouvement fluide. Elle ne ressentit pas la moindre douleur.

— Ne sois pas nerveuse.

— Je ne suis pas nerveuse, répondit-elle.

C'était presque la vérité. Malgré l'érection qui palpitait en elle, Lucy ne s'était jamais sentie aussi détendue de sa vie entière.

— Non ?

— Bon, d'accord, peut-être un peu, confessa-t-elle avec un petit rire.

Tremblant d'impatience, Dio se retira une dernière fois pour prendre un préservatif dans la table de chevet. Avec une maladresse de débutant, il l'enfila, puis se perdit de nouveau en elle, plus résolument cette fois. Sa femme était prête pour lui. De petits gémissements franchissaient ses lèvres à chaque nouvel assaut, accentuant encore son ardeur. Elle s'était redressée, appuyée sur ses mains, et Dio profitait du spectacle de ses seins fermes dressés vers le ciel.

Lucy haletait, presque terrifiée par l'intensité des sensations dont elle était la proie. Dio la tenait par les hanches et, à chaque nouveau coup de reins, semblait s'enfoncer plus profondément en elle. Le corps en feu, les cheveux collés au front, il ne lui fallut que quelques minutes pour basculer de nouveau dans un abîme de jouissance, en même temps que Dio se répandait en spasmes brûlants au creux de son ventre.

Elle s'accrocha presque désespérément à lui lorsqu'il se retira enfin. L'esprit en ébullition, elle était incapable d'aligner deux pensées cohérentes. Ses membres étaient lourds, ses muscles engourdis de plaisir, elle se sentait aussi faible qu'un chaton nouveau-né.

— Ça t'a plu ? demanda Dio après avoir repris son souffle.

Contre toute attente, il n'éprouvait pas son besoin habituel de sortir du lit une fois l'acte consommé. Evidemment, songea-t-il, ce n'était pas tous les jours qu'il déflorait une femme qui était aussi son épouse légale.

— C'était très agréable, répondit Lucy avec pudeur.

Dio partit d'un rire rauque.

— Très agréable ? Je préférerais « sensationnel ».

— Tu sais très bien que c'était sensationnel, marmonna Lucy.

Ses joues s'enflammèrent en songeant à ce qu'elle venait de faire. Il n'y avait qu'une seule ombre à son bonheur : savoir que le plaisir extraordinaire qu'elle avait pris avec Dio n'avait pour lui rien d'exceptionnel. Et puisqu'il avait prévu de se lasser d'elle en deux semaines, elle décida qu'il était peut-être sage de ne pas faire preuve d'un enthousiasme excessif. Elle avait abdiqué toute volonté entre ses bras et ne voulait pas lui laisser croire qu'il avait toutes les cartes en main.

D'accord, elle perdait tout contrôle de son corps lorsqu'il la touchait. Mais sa fierté était encore intacte. Elle n'était plus la gamine naïve qui était autrefois tombée amoureuse de lui. Les dix-huit derniers mois avaient au moins eu le mérite de la déniaiser.

— Maintenant que nous avons fait l'amour, reprit-elle de son ton le plus détaché, pourquoi ne pas en rester là ? Notre mariage est consommé, tu as eu ce que tu voulais. Rien ne nous oblige à aller au bout de ces deux semaines.

La main de Dio glissa sur sa fesse nue, possessive. Aussitôt le corps de Lucy s'embrasa.

— Pas question, ma chère femme. Je t'ai donné l'occasion de partir, mais tu as décidé de ne pas le faire.

Un contrat est un contrat, n'est-ce pas ? Dans dix jours, tu seras libre de faire ce que tu veux de ta vie. D'ici là, tu m'appartiens corps et âme. Mais comme je te l'ai déjà dit, et comme je viens de te le prouver, je t'assure que tu ne trouveras pas l'épreuve trop pénible. Une petite voix me souffle même que tu pourrais en redemander…

7.

Lucy colla le nez au hublot lorsque leur avion émergea des nuages. Ils survolaient un océan dont le bleu se parait, en bordure de l'île qui se dessinait à l'horizon, d'une frange turquoise. Dio avait initialement songé à l'emmener en safari, avant de décider qu'une semaine et demie à faire l'amour au soleil était une bien meilleure idée.

— Pourquoi laisser des lions et des éléphants interrompre notre voyage d'exploration ? avait-il ironisé. Les vacances culturelles, c'est bien, mais la seule activité qui m'intéresse, c'est un lit et toi nue dessus.

Ils se rendaient donc dans sa résidence de l'île Moustique, la seule que Lucy ne connaissait pas. Dio ne l'utilisait jamais pour ses clients, la réservant à son usage personnel, et elle n'avait pas eu besoin de s'en occuper.

— Tu es excitée ? demanda-t-il, refermant l'ordinateur sur lequel il avait travaillé pendant tout le vol.

Il avait eu du mal à se concentrer, avec sa femme si proche de lui que son parfum lui caressait les narines au moindre mouvement. A plus d'une reprise, il avait songé à envoyer balader son travail urgent pour s'adonner à des réjouissances aériennes. Le sexe, entre Lucy et lui, allait être explosif. Ils avaient passé la nuit entière au lit, mais son appétit pour elle ne semblait pas diminuer. Si les choses se passaient comme il l'entendait, ils n'allaient pas beaucoup quitter la maison…

Dio n'avait pas pour autant l'intention d'abdiquer son cynisme. Il comptait bien ne pas perdre le contrôle de la situation. Il s'agissait d'un simple interlude, d'une parenthèse dans leurs vies respectives. Elle leur permettrait de consumer leur désir et de se séparer dans les meilleurs termes possibles.

— Je ne suis jamais allée aux Caraïbes, lui confia Lucy.

— Vraiment ?

— Nous ne voyagions pas beaucoup quand j'étais plus jeune.

Parce que mon père n'aurait pas supporté de passer autant de temps avec sa famille, se retint-elle d'ajouter. Et ni sa mère ni elle, d'ailleurs, n'auraient songé à le lui demander !

Dio ne chercha pas à cacher son étonnement.

— Vu l'environnement dans lequel tu as grandi, j'aurais cru le contraire.

— La vie est pleine de surprises, répondit Lucy avec un entrain forcé.

— C'est ce que je vois.

Un court silence retomba, qu'elle se hâta de briser pour éviter qu'il ne l'interroge plus avant sur son passé :

— Pour répondre à ta question, oui, je suis excitée comme une puce. J'ai hâte de découvrir l'île, son mode de vie et ses habitants.

Elle s'était tournée vers lui, et Dio vit l'enthousiasme presque enfantin qui illuminait son regard.

— C'est tout ce qui t'intéresse ? la taquina-t-il.

Lucy s'empourpra en se rappelant ses caresses, le chant d'allégresse qu'il avait arraché à son corps. Nerveuse, elle s'humecta les lèvres. Dio était sans doute habitué à ce que les femmes le complimentent sur ses prouesses sexuelles, mais elle n'était pas l'une de ses adoratrices sans cervelle et se refusait à le faire.

— Parle-moi de ta maison, demanda-t-elle.

Il sourit, comme s'il voyait clair dans son jeu, mais inclina la tête de bonne grâce.

— Que veux-tu savoir ? Je l'ai achetée pour fêter mon premier million de bénéfices. Depuis, j'ai agrandi mon portefeuille de propriétés à travers le monde.

Parce que je m'en occupe comme une employée, compléta mentalement Lucy. C'était un rappel bienvenu de leur rapport de force, de leurs positions respectives sur l'échiquier.

— Et tu as raison, reprit-elle d'une voix plus rauque. Le côté touristique de notre séjour n'est pas la seule chose qui m'attire.

Dio partit d'un rire grave. Voilà, c'était mieux ainsi ! Le désir était un langage qu'il comprenait.

Il eut à peine conscience de débarquer — son esprit était trop occupé à imaginer ce qu'il ferait avec sa femme dès la seconde où ils arriveraient. Il avait veillé à ce que la maison soit aérée et la cuisine remplie pour leur séjour, car il n'avait pas l'intention de sortir. Bref, il comptait sur ce petit interlude pour siphonner le trop-plein de désir qui lui noyait la tête depuis de trop longs mois. Depuis son mariage, sa femme semblait la seule à stimuler sa libido — d'autres avaient essayé, sans succès — et c'était un état de fait auquel il devait remédier. Leur passion assouvie, ils pourraient enfin divorcer.

Oui, c'était un plan parfait.

Dio dut néanmoins réprimer la frustration qui s'était emparée de lui à cette idée. Le divorce était pourtant la conclusion logique de cette affaire. Il avait pris Lucy pour femme parce qu'il la voulait, mais aussi en guise de tribut cédé par son ennemi vaincu. Il était temps désormais d'aller de l'avant. Ou plutôt, il serait temps d'aller de l'avant après ces dix jours d'idylle tropicale.

Si ses voyages à travers le monde l'avaient rendu

quelque peu blasé, s'avoua-t-il tandis qu'ils traversaient l'île sous les frondes des cocotiers, à tel point qu'il avait choisi un endroit paradisiaque pour acheter une villa. Lucy étudiait le paysage qui défilait derrière la vitre de leur limousine avec des yeux ronds. Dio ne put retenir un sourire : il ne l'avait jamais vue manifester autant d'intérêt pour ses autres propriétés, c'était certain.

Elle le mitrailla de questions, auxquelles il répondit du mieux qu'il put tout en se demandant pourquoi elle ne connaissait pas les Caraïbes. La région était pourtant le terrain de jeu favori de toutes les familles riches de la planète. Où avait-elle donc passé ses vacances ? Au Groenland ? Robert Bishop avait-il été trop occupé à vider les comptes de son entreprise pour emmener sa famille en vacances… ?

Après la touffeur de la ville, la chaleur de l'île était agréable, atténuée par une brise de mer parfumée qui agitait les palmes des cocotiers. Les couleurs paraissaient plus éclatantes, et Dio se détendit, étudiant lui aussi les résidences à demi-dissimulées dans la végétation. Toutes appartenaient à des propriétaires richissimes — il en connaissait d'ailleurs la plupart. Moustique était un paradis pour milliardaires et malgré cela — ou peut-être de ce fait — l'île n'avait rien perdu de son authenticité. Il n'y avait pas le moindre magasin de luxe en centre-ville. Sa secrétaire avait dû, sur ses ordres, faire expédier à l'intention de Lucy une garde-robe complète depuis le continent. Ses placards devaient à présent regorger de toutes les affaires dont elle pourrait avoir besoin. A expérience inédite, nouvelles tenues : c'était aussi simple que cela !

— C'est magnifique ! s'exclama Lucy quand ils arrivèrent enfin à la villa.

Enchâssée dans un jardin exotique, elle dominait la mer et sa propre plage privée. Une véranda de bois délavée par le soleil et les embruns en faisait le tour, ombragée par de magnifiques buissons chargés de fleurs tropicales. Le bleu de l'océan se fondait avec celui du ciel à l'horizon, en un aplat éclatant zébré par les longues tiges des cocotiers.

— Je regrette de ne pas être venue avant, reprit-elle d'un ton un peu mélancolique. Ça m'aurait changé de tes appartements en ville.

— Tu as grandi à Londres. J'ai toujours supposé que tu étais citadine dans l'âme.

— La famille de ma mère venait du Yorkshire, répondit Lucy abruptement.

Debout près d'elle face à la vue, Dio fronça les sourcils en réaction à la tension qui avait percé dans sa voix. Regrettait-elle d'avoir accepté son marché ? se demanda-t-il. Elle portait de nouveau son déguisement d'épouse parfaite, une élégante robe de soie agrémentée de quelques bijoux en or, et elle s'était maquillée.

Il en fut irrité. Il ne voulait pas d'une idylle passionnée avec la Lucy de ces derniers mois. Il voulait retrouver la jeune femme fougueuse et sans artifice qu'il avait découverte dans un bâtiment sordide de l'est londonien. Etait-ce trop demander ?

— Tu passais donc tes vacances en famille dans le Yorkshire ?

— Maman et moi y allions souvent.

— Vous avez encore une maison là-bas ?

— Non. Mais ma tante Sarah y habite toujours. Elle nous accueillait.

— Je vois, murmura Dio, curieux de savoir ce que faisait son voleur de père pendant ces séjours. Je ne me souviens pas que tu sois jamais allée dans le Yorkshire depuis notre mariage...

— Tu ne sais rien de moi. Pas étonnant, vu le peu de temps que nous avons passé ensemble.

— D'où l'intérêt de ce voyage. « Partager » sera notre mot d'ordre au cours des jours qui viennent.

Lucy supposait que le partage en question serait uniquement physique, mais pourquoi s'en plaindre ? Elle avait accepté ce pacte en toute connaissance de cause. Et, comme son mari l'avait annoncé, elle y prenait beaucoup de plaisir. Même ses doutes ne parvenaient pas à tempérer l'excitation qui la tenaillait à la perspective de ce séjour. Cet appétit sexuel inhabituel l'étonnait — depuis quand était-elle prête à oublier tous ses principes pour un peu de plaisir physique ? Hélas, elle n'y pouvait rien.

— Nous entrons ? suggéra-t-elle pour éviter l'enlisement de la conversation. Je suis curieuse de voir l'intérieur. J'ai aussi très chaud.

— Bien sûr. Par ici.

L'intérieur de la villa était aussi impressionnant que l'extérieur. Une brise rafraîchissante soufflait par les persiennes, caressant le parquet de bois sombre et les meubles de bambou. Les chambres se trouvaient à l'étage, le rez-de-chaussée occupé par un vaste salon donnant sur la véranda et par une spacieuse cuisine. Lucy était habituée au luxe des résidences de son mari, cependant l'élégante simplicité du lieu lui coupa le souffle. Elle en tomba instantanément amoureuse. Elle aimait la décoration, le sentiment d'espace, les vues qui s'offraient depuis chaque pièce, la mélodie lointaine du ressac.

Ils dépassèrent quatre chambres spacieuses, puis pénétrèrent dans celle qu'ils devaient partager, la plus grande de toutes. Le chauffeur souriant qui les avait pris à l'aéroport avait déjà déposé leurs bagages au pied du lit.

Lucy se figea, frappée par une évidence : c'était leur lune de miel — la lune de miel qu'ils n'avaient jamais eue. Elle était avec son mari et, même si leur union avait des airs de plaisanterie cruelle, elle ne put s'empêcher de frissonner quand elle posa les yeux sur lui.

Les fenêtres ouvertes l'attirèrent presque malgré elle. Emergeant sur le balcon, elle remplit ses poumons des odeurs capiteuses qui embaumaient l'air.

— Tu crois que tu vas survivre dix jours sans personnel pour exécuter tes moindres volontés ? ironisa-t-elle, se retournant vers son mari.

La fin de sa phrase se perdit dans une quinte de toux nerveuse quand elle le vit qui déboutonnait sa chemise, exposant un triangle de peau mate.

— C'est un sacrifice que je suis prêt à faire, parce que je ne veux personne d'autre que nous ici.

Il lui adressa un sourire en coin qui acheva d'enflammer ses sens, puis lui fit un petit signe du doigt.

— Viens ici.

Lucy approcha à pas lents, comme sous l'effet d'un sortilège. Le parfum de Dio lui emplit les narines avec la force d'un aphrodisiaque ; Lucy faillit perdre tout contrôle d'elle-même. Sa raison avait beau lui répéter qu'il s'agissait d'un ersatz de lune de miel, cette dernière ne lui en paraissait pas moins réelle. Elle désirait cet homme comme s'ils n'avaient aucun passif commun, comme si ces dix-huit derniers mois n'avaient jamais existé.

D'un doigt, Dio lui redressa le menton. Ils échangèrent un long baiser, langues mêlées, qui les laissa tous deux hors d'haleine.

— Tu dois étouffer dans une tenue pareille, murmura-t-il.

Lucy acquiesça, mais sa température corporelle n'avait rien à voir avec la chaleur ambiante ou même ses vêtements : elle avait l'impression de rayonner de l'intérieur.

— Je crois que tu as besoin d'une bonne douche. Ça tombe bien, moi aussi.

— Nous allons nous doucher… *ensemble* ? s'étonna-t-elle.

Dio rit de bon cœur et, sans répondre, la conduisit vers la salle de bains. Elle était si grande qu'un canapé y avait été installé. Les murs et le sol étaient carrelés d'une pierre douce au toucher.

— Déshabille-toi, ordonna-t-il en se laissant tomber sur le canapé et en croisant ses longues jambes.

Lucy ne bougea pas. Le cadre était bien différent de la chambre plongée dans l'obscurité dans laquelle ils avaient fait l'amour jusqu'alors.

— Je… je ne peux pas.

— Pourquoi pas ?

— J'ai le trac.

Dio renversa la tête en arrière et se mit à rire à gorge déployée. Puis il reprit son sérieux, ses yeux gris rivés sur le corps de Lucy.

— Et si je brisais la glace pour t'aider ?

Sans attendre sa réponse, il se leva d'un bond et entreprit de se déshabiller. Lucy resta coite, fascinée par son aisance.

— Je me sens gauche comparée à toi, soupira-t-elle.

Il avança vers elle, déjà en érection.

— Touche-moi.

Lucy referma les doigts sur son sexe brûlant et manqua défaillir sous la violence du désir qui la transperça. Son souffle s'accéléra tandis qu'elle jouait avec lui, grisée par le pouvoir qu'elle détenait sur un homme aussi impressionnant.

Dio ferma les yeux et se força à respirer lentement, sidéré par l'effet que Lucy produisait sur lui. Il n'avait qu'à s'approcher d'elle pour perdre quasiment tout contrôle. Etait-ce le contrecoup de trop longs mois d'abstinence ? Il regrettait de ne pas avoir pris le problème à bras-le-corps plus tôt. Mais peu importait, désormais. L'essentiel, c'était d'être là aujourd'hui, avec sa femme et dix jours devant eux. L'innocence de Lucy ne faisait qu'ajouter du piment à la situation.

Avec un soupir rauque, il lui prit la main pour l'immobiliser et éviter une conclusion trop rapide. Puis il plongea le regard dans les yeux de la jeune femme.

— Si tu es trop timide pour te déshabiller devant ton mari, laisse-moi m'en occuper moi-même.

Lucy succomba à ses attentions — le contraire était impossible. Chaque caresse, chaque baiser emportait un peu plus ses inhibitions. C'était le genre de volupté dont elle avait rêvé quand elle avait accepté d'épouser Dio. Rien ne s'était passé comme elle l'avait prévu, mais elle comptait bien profiter du moment présent. Ni lui ni elle ne cherchaient davantage que quelques jours de plaisir.

Ils se douchèrent sous un jet chaud comme une pluie tropicale. Dio coupa bientôt le robinet pour offrir au corps de Lucy l'hommage de ses lèvres. Elle s'était adossée au mur, les jambes entrouvertes. Un gémissement de bien-être lui échappa quand il lapa l'eau qui coulait sur son sexe. Puis il la retourna contre les carreaux et la pénétra, dur comme l'acier.

Leur étreinte culmina en un orgasme fracassant.

Lorsqu'ils émergèrent enfin de la salle de bains, Lucy titubait presque sur des jambes en guimauve. Dio ouvrit en grand la porte coulissante du dressing. La garde-robe promise l'y attendait.

— J'ai fait venir tout ce dont tu as besoin, déclara-t-il.

Lucy parcourut les vêtements avant de se tourner vers son mari, sourcils froncés. Il s'était allongé sur le lit en tenue d'Adam, les mains croisées derrière la tête.

— Il y a essentiellement des jeans et des T-shirts. Ce n'est pas ce que je porte habituellement à Londres.

— Je sais. Je me suis dit qu'ici, les tenues de grandes marques n'étaient pas de mise.

Lucy enfila un short en jean et un débardeur, qui auraient pu provenir de n'importe quel magasin de prêt-à-porter. C'était le genre de tenue dans laquelle elle se sentait bien. Même enfant, quand son père la forçait à porter des griffes prestigieuses pour impressionner ses amis et ses relations d'affaires, elle s'en débarrassait sitôt qu'il avait le dos tourné.

Dio avait compris quelque chose de sa vraie personnalité. Toutefois, Lucy ne put empêcher son cynisme de reprendre le dessus : s'il avait sélectionné ces vêtements-là, c'était précisément pour la mettre à l'aise et la rendre plus malléable, pas pour lui faire plaisir. Et il était évident qu'il ne les avait pas choisis en personne — il avait dû demander à sa secrétaire de le faire. Comme ces pensées se formaient dans sa tête, Lucy fut satisfaite de constater que l'extase sexuelle ne lui avait pas fait perdre complètement l'esprit.

— Très joli, commenta-t-il avec un hochement de tête. Quand je t'ai vue dans cette bicoque en ruine à Londres, j'ai adoré ton look.

— Je ne suis pas ta marionnette.

— C'est ce que tu penses de moi ? Que j'essaie de te contrôler ?

— Pourquoi, ce n'est pas le cas ?

— Même si c'était le cas, la plupart des femmes seraient ravies d'être sous la coupe d'un homme qui leur donne un crédit illimité pour s'acheter ce qu'elles veulent.

— Je t'ai déjà dit que je ne faisais pas partie de ces femmes. Mais je n'ai pas envie de me disputer avec toi. Nous ne sommes pas là pour ça.

— En effet, répondit Dio d'une voix suave comme du chocolat fondant. Pourquoi ne viens-tu pas t'asseoir près de moi et me rappeler pourquoi nous sommes là ?

Lucy leva les yeux au ciel, feignant l'exaspération alors qu'elle était ravie de pouvoir changer de sujet.

— Tu ne penses donc qu'au sexe ?

— Quand je te regarde, j'ai du mal à penser à autre chose.

Lascive comme une chatte, Lucy prit place près de lui. La joue appuyée sur un coude, elle dessina des cercles sur son torse du bout du doigt.

— Au fait, je n'aime pas que tu qualifies mon école de « bicoque en ruine »…

— C'est noté. Pour information, j'ai pris toutes les mesures nécessaires à sa restauration.

— Je sais, et j'aurais dû t'en remercier. Mark m'a téléphoné juste avant notre départ pour me le dire.

Mais j'avais bien d'autres choses en tête à ce moment-là, songea-t-elle en rougissant.

— Il attend mon retour pour que nous annoncions la bonne nouvelle ensemble, ajouta-t-elle.

— Comme c'est gentil de sa part, ironisa Dio.

Avait-elle le béguin pour ce Mark, quoi qu'elle affirme ? se demanda-t-il dans un brusque regain de jalousie.

— Tu ne m'as pas dit qu'il t'avait appelée, lâcha-t-il en tâchant de ne rien laisser transparaître de ses doutes.

— J'ai oublié. Et puis, il n'y a pas de loi qui m'interdise de lui parler, d'autant que nous travaillons ensemble.

— Tu pourras parler et passer du temps avec qui bon te semble quand tu ne seras plus ma femme, s'agaça Dio.

Il savait qu'il s'emportait pour rien, que ce Mark n'était qu'un idéaliste inoffensif (et peut-être homosexuel de surcroît, à en croire sa femme). Mais c'était le genre d'homme qui, de retour dans le monde réel, attirerait Lucy.

— Qui d'autre fait partie de ton petit groupe de bons Samaritains ? s'enquit-il avec un rictus narquois.

— Pourquoi es-tu si condescendant, tout à coup ?

— Je ne suis pas condescendant. Juste curieux.

— J'aurais pourtant pensé que tu verrais l'intérêt de notre action, vu le milieu dont tu viens.

— Laissons mon passé de côté.

— Pourquoi ? Tu n'hésites pas un seul instant à m'interroger sur le mien.

— Tu n'as pas répondu à ma question : qui d'autre travaille avec toi ? Et depuis combien de temps connais-tu ces gens ? Ce sont eux qui t'ont approchée ou l'inverse ?

Dio avait bien conscience de la jalousie qui perçait désormais dans sa voix, mais il ne pouvait pas la contenir.

— Je les ai approchés, reconnut Lucy, perplexe. J'ai d'autres ambitions dans la vie que d'être ta femme. Je veux faire travailler mes neurones. Quand j'ai vu qu'ils cherchaient une volontaire à plein temps, j'ai présenté ma candidature. Mark est à la tête du petit groupe, mais il y a d'autres personnes. Tu veux que je les nomme toutes ?

— Comme je te l'ai dit, je suis curieux.

Lucy ne se rappelait pas avoir vu Dio manifester un tel intérêt pour ses activités. Avec un soupir, elle lui dressa la liste de l'équipe — trois femmes, toutes bien plus âgées qu'elle, et deux hommes.

— Et c'est avec eux que tu passes ton temps quand je ne suis pas là ?

— Une partie de mon temps.

— Mais tu ne leur as jamais dit qui tu étais vraiment.

— Je voulais être prise au sérieux, Dio ! Si mes collègues apprenaient que je suis ta femme, ils s'imagineraient que je ne suis qu'une enfant gâtée qui s'ennuie et veut s'acheter une bonne conscience. Mais pourquoi parlons-nous de tout ça, au juste ?

Dio aurait tout donné pour le savoir lui-même ! Il savait que les réponses de sa femme ne le satisfaisaient pas.

— Si je comprends bien, aucun de ces types ne sait que tu es mariée.

— Sauf s'ils sont devins.

— Et... ils ressemblent à quoi, ces deux autres hommes ?

Lucy songea à Simon et à Terence, puis sourit.

— Ils sont adorables. Tous deux sont enseignants à plein temps, mais ils se débrouillent pour venir dès qu'ils ont un moment de libre. Simon enseigne les maths avec moi, Terry l'anglais et l'histoire. J'ai hâte de leur annoncer que l'école est sauvée. Ils vont sauter de joie.

— J'imagine, murmura Dio, posant une main possessive sur la cuisse de sa femme et remontant vers son ventre. Il faudra organiser une petite fête. Une fête à laquelle j'assisterai, en tant que donateur.

Lucy haussa les épaules et essaya de s'imaginer son mari au milieu des enseignants et des parents d'élèves. Elle eut la vision d'un lion jeté au milieu d'un groupe de chatons. Bien sûr, son mari voulait savoir ce qu'il allait advenir de son argent. Il n'était pas complètement idiot. Il avait beau s'être servi de l'école pour arriver à ses fins, cela ne signifiait pas qu'il allait investir à fonds perdus. Or, voulait-elle vraiment le voir envahir son jardin secret, cette partie de sa vie qui représentait son seul espoir de liberté ?

Une idée troublante s'imposa soudain à elle : et s'il voulait faire davantage que de financer l'école ? S'il exigeait de superviser les travaux ? Devrait-elle composer avec cette présence sombre et menaçante dans sa vie, même après leur divorce ?

— Je ne crois pas que nous devrions parler de ça, déclara-t-elle en refermant les doigts sur son pénis. Je pense que nous avons mieux à faire, pour le moment.

Dio acquiesça, repoussant l'intuition troublante que, pour une fois, il n'était pas sûr d'être d'accord pour faire passer le sexe au premier plan...

8.

A intervalles réguliers au cours des jours suivants, Lucy dut réprimer les doutes et les interrogations qui surgissaient dès qu'elle avait un moment de répit.

Que se passerait-il lorsqu'ils quitteraient cette bulle paradisiaque ? Dio lui demanderait-il d'avoir déménagé ses affaires à son retour de Hong Kong ? Ou attendrait-il qu'elle l'ait fait d'elle-même avant de rentrer ? Evidemment, il leur faudrait discuter des détails du divorce, même si elle n'avait pas l'intention de contester ce qu'il lui offrirait.

Etrangement, la perspective d'acquérir enfin sa liberté ne brillait plus comme une lumière au bout d'un long tunnel. Et la raison de ce changement ne faisait pas le moindre doute : elle s'amusait comme une folle.

Sa capacité à dissocier ses besoins physiques de sa raison la stupéfiait. Une force irrésistible s'était éveillée en elle, un élan vital qui balayait tout sur son passage. La nuit, Dio et elle partageaient le même lit, dans une intimité qui aurait dû lui paraître étrange mais qui, au lieu de cela, l'enchantait. Elle chérissait le moment où, à la lisière du sommeil, elle se blottissait en cuillère contre le corps d'airain de son mari.

Tout le reste passait au second plan : incertitudes, questions, appréhensions. Rien d'autre n'importait quand ils faisaient l'amour. Dio avait vu juste : leur soi-disant lune de miel avait des vertus cathartiques, et elle en adorait chaque seconde.

Un voyage en bateau figurait au programme du jour. Toujours au lit, Lucy ouvrit un œil paresseux et sourit au plafond. Elle était seule — Dio s'était levé à l'aube pour finir un travail urgent. Avant de partir, il avait glissé une main entre ses cuisses et l'avait caressée, à demi-endormie, jusqu'à la faire exploser de bonheur.

Encore quelques minutes et elle se lèverait à son tour, enfilerait un sarong sur un bikini et le rejoindrait. Pour le moment, une légère migraine lui appuyait sur les tempes et elle attendit qu'elle passe, le visage rafraîchi par la brise qui gonflait les rideaux. Elle rejeta les draps après quelques instants, étonnée d'avoir si chaud de si bon matin.

Soudain, elle entendit la voix de Dio, qui semblait venir d'un point loin au-dessus d'elle. Comment diable était-ce possible… ?

— Pas la peine de crier, marmonna-t-elle, ouvrant à demi les paupières.

— Je ne pourrais pas parler moins fort si je le voulais. S'agenouillant près du lit, Dio l'étudia d'un air perplexe.

— Il est 9 h 30, Lucy. Je me demandais où tu étais.

— Oh non !

Ainsi, elle s'était rendormie ? Avec un cri de dépit, elle se redressa, mais retomba presque aussitôt sur les oreillers.

— Qu'est-ce qui ne va pas ? s'inquiéta Dio.

— Rien. Tout va bien. Je… Donne-moi juste quelques minutes. Je m'habille et je descends.

Néanmoins, Lucy eut beau lutter contre l'évidence, il lui fut impossible d'ignorer bien longtemps la réalité : à seulement trois jours de la fin de leur séjour, elle venait de tomber malade. Elle avait mal à la tête, son corps pesait une tonne et ses articulations étaient douloureuses. Au mieux, c'était un coup de froid ; au pire, une grippe qui la clouerait au lit.

Un mélange de déception et de frustration lui étreignit le cœur. Dio allait être furieux de se voir privé d'une partie de la lune de miel qu'il avait exigée d'elle. Elle avait trahi leur pacte.

Avec une expression soucieuse, son mari posa la main sur son front.

— Tout va bien ? Tu plaisantes ? Tu es brûlante, Lucy !

— Je suis désolée, marmonna-t-elle.

Mais Dio avait déjà tourné les talons. Elle supposa qu'il était retourné travailler, furieux, ou déballer le panier pique-nique qu'il avait fait livrer la veille en prévision de leur excursion en bateau.

Elle ne l'entendit pas revenir, et ne se rendit compte de sa présence que lorsqu'un bras musclé glissa dans son dos pour la redresser en position assise. Dio lui présenta un thermomètre d'une main, un verre d'eau de l'autre.

— Pourquoi ne m'as-tu pas dit que tu ne te sentais pas bien ? la gronda-t-il.

— J'avais juste un peu mal à la tête au réveil, mais j'ai pensé que ça passerait. Je me suis rendormie sans en avoir l'intention. Je suis désolée, répéta-t-elle.

Avec un claquement de langue impatient, Dio s'installa près d'elle. « Désolée » ? Le prenait-elle donc pour un monstre pour s'excuser ainsi ? Evidemment, il lui avait un peu forcé la main pour la convaincre d'accepter cette lune de miel, mais elle avait mérité sa sévérité. Et puis elle appréciait autant que lui les moments qu'ils passaient ensemble, non ?

Ces justifications ne parvinrent pas à faire barrage à un accès de culpabilité. Pour ne pas s'y attarder, il se concentra de nouveau sur Lucy.

— J'ai appelé le médecin de l'île.

— Pourquoi ?

— Parce que c'est ce qu'on fait quand quelqu'un est malade. Laisse-moi prendre ta température.

— C'est inutile. J'ai pris froid, Dio. Il n'y a rien à faire.

— Ouvre la bouche, insista-t-il. Nous allons prendre ta température.

— Et notre voyage en bateau ? geignit Lucy.

Et le reste de notre lune de miel ? songea-t-elle dans la foulée. Elle fut embarrassée de constater qu'elle était prête à lui signer une reconnaissance de dette pour ces trois derniers jours, dont elle avait été la première à vouloir profiter ! Quand s'était-elle à ce point attachée à un homme qu'une semaine plus tôt elle désirait plus que tout au monde quitter ?

— Le voyage en bateau est le cadet de mes soucis, répondit Dio avec une irritation mâtinée de tendresse. Maintenant, tais-toi et laisse-moi prendre ta température.

Cette fois, Lucy obéit. Dio étudia le thermomètre avec un hochement de tête.

— C'est bien ce que je pensais : tu as de la fièvre. Ne bouge pas, je vais chercher de quoi la faire tomber.

— Je te dis que c'est juste un coup de froid.

— Les moustiques sont porteurs de maladies, sous les tropiques. Heureusement, nous n'avons pas la malaria ici. Mais d'autres virus peuvent être presque aussi sérieux. Allez, bois.

Lucy avala la moitié du verre avant de se rallonger, les yeux clos et le front baigné de sueur.

— Tu n'es pas obligé de rester, Dio. Tu as probablement mieux à faire que de t'occuper de moi.

Elle avait parlé en souriant, mais sans ouvrir les yeux. Ses pensées vagabondaient dans toutes les directions et elle avait le plus grand mal à les contrôler.

— Mieux à faire ? répéta son compagnon. Comme par exemple ?

— Travailler. C'est ta grande passion, non ?

— Par obligation. Quand on essaie de se tirer de la fange, on ne compte pas ses heures.

— Et une fois le rythme pris, murmura Lucy d'une voix ensommeillée, il est difficile de s'arrêter…

— En effet. Ah, on vient de sonner. Ne bouge pas, ça doit être le médecin.

— Où veux-tu que j'aille ? ironisa-t-elle. Je ne peux pas tenir debout.

Le médecin était un petit homme nerveux, qui entra dans la chambre en énumérant la liste des diverses afflictions susceptibles de frapper les touristes de l'île. Dio le suivait, n'écoutant que d'une oreille distraite la litanie de noms latins qui tombait des lèvres du praticien en un chapelet monotone.

Il prit son temps pour examiner Lucy, puis énonça son diagnostic sous la forme d'un autre nom latin ronflant. Dio attendit patiemment la traduction.

— Une forme de dengue, expliqua le médecin. Pas aussi grave, mais suffisamment virulente pour coller votre femme au lit pendant plusieurs jours. Il n'y a rien d'autre à faire que de boire et de se reposer. La bonne nouvelle, c'est qu'une fois remise, elle sera immunisée contre ce virus en particulier.

Le verdict démoralisa Lucy qui sombra bientôt dans un sommeil brûlant dont elle ne se réveilla qu'à la nuit tombée. Dio avait installé son ordinateur dans la chambre. Il s'approcha dès qu'il la vit bouger. Au grand soulagement de Lucy, il n'avait pas l'air en colère.

— Je vois que tu es sur le point de t'excuser encore une fois, ironisa-t-il. Epargne-toi cette peine. Un moustique t'a transmis un virus et t'excuser ne le fera pas partir plus vite. Comment te sens-tu ? Il faut que tu boives et que tu manges. Au moins, ta fièvre semble être tombée.

— Tu es vraiment très attentionné.

— Tu t'attendais à quoi ?

— Je ne sais pas. Mais tu n'es pas obligé d'être gentil.

— Oh… Tu me donnes donc la permission d'être le genre d'homme que tu crois que je suis ?

— Non, je…

— Ça va, économise ton souffle, coupa Dio. Je plaisantais. Je vais te chercher à manger.

Une fois dans la cuisine, il abattit son poing sur le plan de travail en granit avec un juron de frustration. Lucy avait décidément de lui une image calamiteuse. Pourtant, il était difficile de lui en vouloir. Il avait bel et bien présenté ce séjour comme une transaction, la seule condition à laquelle il sauverait son école chérie.

Quinze minutes plus tard, il revint dans la chambre. Lucy, qui somnolait, ouvrit des yeux ronds quand elle aperçut l'omelette qu'il avait préparée.

— Tu as fait ça tout seul ?

— Je vois que tu vas mieux, remarqua Dio en riant. Tu as retrouvé toute ta verve. Et pour répondre à ta question, oui, c'est moi qui ai tout fait tout seul comme un grand. Tu vas me remercier et me dire que cuisiner ne fait pas partie de mes obligations ?

Lucy rougit : elle avait ces mots exacts sur le bout des lèvres… Elle se mit à manger pour ne pas avoir à répondre. Son appétit la déserta après quatre ou cinq bouchées. L'effet des analgésiques se dissipait — elle sentait les douleurs articulaires revenir et la fièvre rôder en coulisses, sur le point de faire son entrée.

Mais d'ici là… Elle perdait tous ses moyens lorsque Dio la touchait, chose qu'il ne pouvait pas faire en ce moment. C'était donc l'instant rêvé pour évoquer l'inévitable conclusion de ce séjour. S'ils réglaient les détails essentiels d'eux-mêmes, à l'amiable, ils se sépareraient sans acrimonie.

— Peut-être devrions-nous parler du divorce, déclara-t-elle d'un ton hésitant.

Dio se raidit, pris de court par la suggestion de Lucy. S'imaginait-elle qu'il allait reconsidérer les termes de leur accord parce qu'elle était malade et incapable de remplir sa part du contrat ? Une petite voix lui souffla que cela ne lui ressemblait pas, mais il préféra se raccrocher à la mauvaise opinion qu'il s'était forgée d'elle au fil de leur mariage plutôt qu'à ses intuitions de ces derniers jours. Ses vieilles certitudes étaient beaucoup plus confortables qu'une remise en cause de tout ce qu'il tenait pour acquis.

— Tu te sens assez bien pour parler ? demanda-t-il, goguenard.

— Je ne suis pas aussi cotonneuse que tout à l'heure. Et la fièvre n'est pas encore revenue.

— Je vois. Pourquoi perdre un temps précieux, n'est-ce pas ? lâcha-t-il, amer. Très bien, je t'écoute.

Lucy retint un soupir tandis que Dio lui ôtait son plateau et s'installait dans un fauteuil, bras croisés. Devait-elle lui expliquer qu'elle voulait juste crever l'abcès, afin de profiter au mieux des heures qui leur restait ? Mais un tel aveu ne la ferait-il pas paraître sentimentale ?

Elle cherchait la meilleure façon d'aborder le sujet quand Dio reprit la parole :

— Si tu veux, je peux aller chercher du papier et un stylo pour tout mettre par écrit.

— Bien sûr que non. Je… je veux juste savoir quand tu voudras que je quitte la maison.

— Cette conversation est sordide.

— Pourquoi ?

— Parce que tu es malade, et que même si tu ne l'étais pas, nous ne sommes pas ici pour parler de ça. Cela va peut-être te paraître étrange, mais je trouve qu'il n'y a rien de tel que le mot « divorce » pour gâcher une lune de miel.

Lucy décida de ne pas relever le sarcasme.

— Je pensais juste que…

— Le fait que tu sois tombée malade ne changera rien au volet financier de notre accord, coupa Dio d'un son sec. C'est ce que tu veux savoir, non ?

Ce séjour était peut-être le fruit de son cynisme, mais il y prenait un plaisir inattendu. Il n'avait pas la moindre envie de se voir rappeler comment ils en étaient arrivés là ; il ne le savait que trop…

Lucy ferma brièvement les yeux, puis protesta d'une voix faible :

— Je ne m'inquiétais pas pour l'argent.

— L'expérience m'a appris que quand les gens disent qu'ils ne pensent pas à l'argent, c'est au contraire leur préoccupation principale.

— Si tu ne veux pas parler de notre situation, ce n'est pas un problème. Je pensais qu'il valait mieux le faire maintenant plutôt que par avocats interposés une fois rentrés à Londres. Après tout, la séparation est un sujet personnel et douloureux.

— Pour les gens normaux, peut-être. Mais notre mariage n'a jamais été conventionnel. Nous n'avons pas passé des années à nous disputer.

— Ça ne rend pas les choses moins personnelles, répondit Lucy, songeant bien malgré elle à la froideur du mariage de ses parents. Certains couples se délitent sans hurlements, sans assiettes cassées, sans drame. D'ailleurs, parfois, il vaudrait mieux crier. Mais je ne sais pas pourquoi j'insiste. Je n'aurais jamais dû aborder le sujet. Laissons tomber.

Sa compagne tourna la tête vers la fenêtre, ses jolies lèvres plissées en une moue bornée. Dio secoua la tête, médusé. Lucy avait cette faculté unique d'aborder un sujet qu'il détestait et de l'abandonner juste au moment où elle avait réussi à piquer sa curiosité. Le faisait-elle à dessein ou était-ce un talent inné ? Il savait juste qu'il aurait tout donné en cet instant pour savoir ce que cachait son expression triste, presque distante.

— Qu'est-ce qui se passe dans ta tête ? demanda-t-il d'un ton plus doux, en la forçant à le regarder. D'abord tu exiges de parler du divorce pour t'assurer que tu auras ton argent…

— Je n'ai jamais dit ça !

— … puis tu sombres dans la mélancolie. Tu penses à un divorce en particulier ?

Il vit, à son léger tressaillement, qu'il avait touché un point sensible. Elle ouvrit la bouche, pour nier sans doute, mais il ne lui en laissa pas l'occasion :

— Des amis à toi ? De la famille ?

Puis, comme elle ne répondait pas, il hasarda :

— Tes parents ?

Elle acquiesça en silence, hochant lentement la tête. Dio la dévisagea, surpris par cet aveu.

— Je n'en ai jamais parlé à personne, murmura-t-elle.

Lucy grimaça — voilà que sa migraine revenait ! Elle ferma les yeux, pressentant qu'un cocktail de fièvre et d'épuisement risquait de la faire parler plus que de raison.

— Tu n'es pas obligée de m'en parler maintenant, fit Dio avec douceur.

Pourtant, il savait qu'une fois certaines portes ouvertes, il était difficile de les refermer. Il soupçonnait qu'il s'agissait de l'une d'entre elles.

— Tu imagines sans doute que j'ai eu une enfance idyllique, soupira Lucy. La plupart des gens le pensent, sauf quelques amis proches de la famille, ceux qui nous connaissent bien. Ils se comptent sur les doigts de la main.

Avec un sourire amer, elle ajouta :

— Chez les Bishop, on ne lave pas son linge sale en public.

Dio, qui soupçonnait que ses certitudes allaient encore en prendre un coup — combien pourraient-elles en recevoir avant de s'effondrer complètement ? — leva la main pour l'empêcher de poursuivre.

— Tu devrais te reposer, Lucy.

— Tu as peut-être raison…

Ils se dévisagèrent longuement, puis Dio leva les yeux au ciel. Il était inutile de lutter contre l'inévitable.

— Vas-y, raconte-moi.

— Il n'y a pas grand-chose à raconter. C'est juste que… si nous devons rompre, je ne veux pas que tu aies de moi l'image d'une princesse capricieuse, née avec une cuillère en argent dans la bouche.

— Ah bon, ce n'est pas le cas ?

— Tu vois ? Tu es toujours prêt à croire le pire, dès qu'il s'agit de moi.

— Bon sang, Lucy, nous ne sommes pas là pour discuter des raisons de notre échec !

— Je sais. Le but de ce voyage était de feindre que tout allait bien pendant dix jours, grâce à une entente sexuelle explosive. Et nous y sommes parvenus. J'ai réussi à oublier que tu m'avais seulement épousée pour grimper dans la hiérarchie sociale.

Dio fronça les sourcils, décontenancé. Lucy avait les yeux mi-clos et il voyait bien que sa fièvre était de retour. Mais sa voix était posée : elle ne délirait pas.

— Pour grimper dans la hiérarchie sociale ? répéta-t-il comme s'il avait mal entendu.

— Oui.

— Tu veux bien éclairer ma lanterne ?

Lucy tordit les draps entre ses doigts, puis parla d'une voix si basse qu'il dut se pencher pour l'entendre.

— Le soir de notre mariage, j'ai surpris une conversation entre mon père et toi. Tu lui disais qu'il n'avait eu que ce qu'il méritait, et que tu allais veiller à prendre tout ce qu'il te devait : l'entreprise et tout ce qui allait avec...

Dio étouffa un juron. Les pièces du puzzle se mettaient lentement en place dans son esprit. Lucy n'avait surpris que des bribes de conversation et en avait tiré ses propres conclusions. Devait-il lui fournir des explications ? Il avait mérité sa vengeance contre Robert Bishop, une vengeance qu'il avait ourdie pendant des années. Pourtant, quand il y pensait, il était déconcerté de n'éprouver qu'une sensation de vide.

— Quand j'ai interrogé mon père, il m'a dit que tu ne m'avais épousée que pour favoriser ton ascension sociale. Apparemment, tu voulais t'acheter une respectabilité aux yeux de la bonne société...

— Pardon ? lâcha Dio, de plus en plus interloqué.

— Tu avais eu une enfance difficile et tu voulais prouver à tous que tu avais réussi. J'étais une simple clé destinée à t'ouvrir des portes qui, malgré ta fortune, te restaient fermées.

L'espace d'un instant, Dio crut avoir mal entendu. Puis la colère se referma sur lui tel un étau. Bon sang, si Robert Bishop n'avait pas déjà été six pieds sous terre, il aurait été ravi de l'y envoyer lui-même.

— Et tu l'as cru ?

En voyant les éclairs dans le regard de son mari, Lucy se demandait si elle avait bien fait d'aborder le sujet.

— Pourquoi pas ? murmura-t-elle. Enfin, tout ça, c'est du passé. Je suis fatiguée et la fièvre revient...

— Je vais chercher tes médicaments.

Dio profita des quelques minutes employées à aller chercher les cachets de sa femme pour se calmer un peu. Lorsqu'il se rassit près d'elle, sa colère avait presque disparu.

— Tu ne vas pas t'endormir juste au moment où ça devient intéressant, Luce ?

Lucy sourit. Dio ne l'avait pas appelée ainsi depuis les premiers temps de leur relation. Malgré les diverses douleurs dont elle était percluse, elle éprouvait une certaine excitation à l'idée d'avoir, pour la première fois depuis longtemps, ouvert une voie de communication entre eux.

— Si je comprends bien, reprit-il, ton père n'était pas du tout l'homme que les gens s'imaginaient ?

— Non.

— A-t-il jamais abusé de toi… physiquement ? interrogea Dio, l'estomac noué par l'émotion.

— Non. C'était un homme violent, mais verbalement.

— Donc pour résumer, tu as surpris notre conversation, et tu en as déduit que je t'épousais pour accéder à je ne sais quels cercles. Il ne t'est pas venu à l'idée que je me moque parfaitement de ma position dans l'échelle sociale ?

Il s'interrompit et secoua la tête.

— Non, Lucy. Ton père a profité de ton manque de confiance en toi pour te convaincre qu'un homme ne pouvait s'intéresser à toi que parce que tu lui étais utile. Et tu as tout gobé.

— Tu veux dire que… tu ne t'es pas servi de moi ?

— Je veux dire, répondit Dio en choisissant ses mots avec soin, que tu te trompes si tu t'imagines que je t'ai épousée pour autre chose que la personne que tu es.

Il se leva subitement. La route qu'empruntait cette discussion était minée, et il ne voulait pas s'y engager plus avant.

— Et maintenant, repose-toi, ajouta-t-il. Ordre du médecin.

9.

Au cours des quarante-huit heures qui suivirent, Lucy n'eut qu'une vague conscience du temps qui passait. La fièvre allait et venait par vagues, la laissant aussi faible qu'un nouveau-né.

Lorsque son organisme se débarrassa enfin du virus, au troisième jour, sa guérison fut instantanée. Elle se réveilla reposée, sa chambre baignée de la lumière blanche du petit matin. Une brise parfumée faisait onduler les rideaux. Lucy s'étira précautionneusement, pour constater avec plaisir qu'elle n'avait plus mal nulle part.

Un coup d'œil à son réveil lui apprit qu'il était 8 heures. Dio n'était pas dans la chambre. Elle s'accorda quelques minutes pour passer en revue les deux jours qui venaient de s'écouler. Son mari s'était occupé d'elle sans faillir. Il avait installé un bureau improvisé dans la chambre et était toujours présent quand elle se réveillait. Il avait préparé ses repas, auxquels elle n'avait guère touché, et l'avait forcée à boire régulièrement. Il l'avait aidée à se doucher, à se changer, à se recoucher. Il était allé jusqu'à décaler son voyage à Hong Kong pour mieux pouvoir s'occuper d'elle.

Lucy aurait juré qu'il n'avait jamais fait une chose pareille de sa vie entière. Et peut-être que s'ils n'avaient pas été coincés sur une île hors du monde et hors du temps, il aurait engagé des professionnels pour s'occuper d'elle. Le fait est qu'il avait relevé le défi et qu'il s'était montré admirable.

Elle se rappelait aussi lui avoir parlé de son enfance. Elle l'avait fait sous l'effet de la fièvre, mais ne regrettait rien. Elle se sentait soulagée, après des années passées à supporter sans piper mot, comme sa mère, la tyrannie de Robert Bishop. Dio était bien la dernière personne à laquelle elle aurait cru se confier un jour, mais il l'avait écoutée attentivement. A son tour, il lui avait entrouvert la porte de son cœur. Elle comprenait à présent que son père les avait montés l'un contre l'autre.

Lucy s'en voulait d'avoir pris pour argent comptant tout ce que ce dernier lui avait dit sur Dio — qu'il était avide d'ascension sociale, de s'acheter une respectabilité. Si quelqu'un l'avait manipulée, si quelqu'un s'était servi d'elle, c'était son père et personne d'autre. A cause de lui, leur mariage avait commencé sur un malentendu, qu'aucun des deux n'avait fait l'effort de dissiper ; elle par rancœur, lui par fierté. Dio était ombrageux et entêté. Et elle, elle était…

Elle était éperdument amoureuse de lui !

Son cœur manqua un battement, puis reprit sa course de plus belle. Elle était contente d'être seule dans la chambre, car elle n'aurait pas pu dissimuler longtemps la nature de ses pensées sous le regard inquisiteur de son mari, ce regard qui voyait tout. Elle était tombée amoureuse de lui dès les premiers instants, mais elle avait étouffé ses sentiments sous une couche d'amertume et de ressentiment durant tout leur mariage.

Ces derniers jours l'avaient dessillée. Le Dio qu'elle avait découvert ne rentrait plus désormais dans la case où elle l'avait jusqu'alors rangé. Elle savait qu'elle l'avait toujours aimé, même si elle avait professé le contraire.

Et lui, dans l'histoire ? Même au plus fort de la passion, il n'avait jamais indiqué qu'il ressentait autre chose que du désir à son égard. Malgré cela, Lucy ne put contenir un petit frisson d'espoir : aurait-il fait preuve d'une telle sollicitude s'il n'avait pas éprouvé le moindre sentiment pour elle… ?

Portée par un vent d'optimisme, elle se doucha, puis enfila le peignoir de soie accroché derrière la porte. Elle prit soin de ne pas mettre de soutien-gorge, n'enfilant qu'une culotte de dentelle sexy qu'elle avait amenée dans ses affaires.

Dio était dans la cuisine lorsqu'elle descendit. Il lisait un journal qu'il tenait d'une main, tout en battant des œufs dans une poêle de l'autre. Maintenant qu'elle s'autorisait à l'aimer, Lucy le voyait sous un jour nouveau. Elle prit quelques instants pour admirer la largeur de ses épaules, l'étroitesse de sa taille, la façon dont ses cheveux bruns bouclaient sur la peau mate de sa nuque.

— Je crois que tu es à deux doigts de faire brûler ces pauvres œufs.

Dio sursauta. Il mit quelques secondes à comprendre que sa femme était dans la cuisine alors qu'il la croyait au lit. Elle avait l'air fraîche comme une fleur tout juste éclose, et sexy en diable. Elle ne portait qu'un peignoir de soie et une paire de tongs. Ses cheveux noués d'un côté de sa tête tombaient en une cascade blonde sur son épaule droite. *Pas de maquillage*, nota-t-il. Elle était à 100 % naturelle, à 100 % femme, et son corps répondit à ce constat par une érection aussi instantanée qu'inappropriée.

— Qu'est-ce que tu fais debout ? demanda-t-il, évitant de justesse l'incinération de son omelette.

Lucy s'installa à la table du salon, dans le courant d'air tiède qui pénétrait par les portes-fenêtres ouvertes en grand sur le jardin. Le ciel était déjà d'un bleu éclatant et un délicieux parfum iodé flottait sur la brise.

— Je me sens beaucoup mieux, annonça-t-elle, le menton dans le creux de sa main. Je me suis dit que j'allais descendre manger un morceau.

— Tu devrais retourner te coucher. Le médecin…

— Je sais ce que le médecin a dit. Mais je t'assure que je suis guérie.

Dio l'étudia d'un œil critique. C'était vrai, elle avait l'air complètement remise. Son regard pétillait et elle avait repris des couleurs. Il se demanda un instant si elle feignait d'aller mieux, avant d'écarter cette hypothèse improbable.

— Tu veux ton petit déjeuner?

— Avec plaisir. Mais nous pourrions peut-être faire autre chose pour accompagner cette omelette?

Dio sourit, s'efforçant d'ignorer l'aperçu que sa position lui offrait sur le décolleté de sa femme.

— Tu veux dire que tu n'es pas contente du chef?

— Pas du tout : je suis très contente du chef. Mais il se murmure, dans les milieux informés, que son répertoire est assez limité…

— Comme tu ne le sais que trop, cuisiner n'est pas mon point fort. Et je dois avouer que je n'ai jamais rien fait pour corriger le problème.

— Je vais t'aider. Ça me fera du bien de m'activer un peu.

Dio haussa les épaules, et Lucy réprima un pince-ment de déception. A quoi s'était-elle attendue? A ce qu'il l'accueille à bras ouverts et lui fasse des serments d'amour éternel? C'était ridicule !

Avec un sourire forcé, elle ouvrit le réfrigérateur, en tira quelques ingrédients et dénicha des épices dans un placard.

— Assieds-toi, Dio. Tu as passé les deux derniers

jours à cuisiner pour moi. Le moins que je puisse faire, c'est de te rendre la pareille.

— Faire des omelettes, ce n'est pas vraiment cuisiner.

— Mais je parie que tu n'as jamais passé autant de temps dans une cuisine.

— Très bien. Je te laisse préparer le petit déjeuner. Mais je vais demander à quelqu'un de venir s'occuper des repas pour le peu de temps qu'il nous reste. La dernière chose que je veux, c'est que tu fasses une rechute.

Dio reprit son journal et fit mine de s'y intéresser pendant que sa compagne s'affairait aux fourneaux. Il se forçait à afficher une indifférence qu'il était loin de ressentir, sans doute parce qu'il ne savait pas exactement ce qu'il ressentait.

Une chose était sûre : l'attitude de Lucy à son égard avait changé. La façon dont elle le regardait lui rappelait l'époque de leur rencontre. C'était un mélange d'admiration et de convoitise, comme s'il était un mets appétissant ; et quel homme n'aimait pas être regardé ainsi ?

Il avait du mal, rétrospectivement, à comprendre pourquoi il avait épousé Lucy Bishop. Sur le coup, il s'était dit que cela faisait partie de sa vengeance, mais il était bien en peine d'expliquer pourquoi. Robert Bishop n'avait jamais paru souffrir de lui accorder la main de sa fille, et il en comprenait désormais la raison : son père s'était servi d'elle comme d'un garde-fou.

Tout ce que Dio savait, c'était que ses émotions n'avaient pas joué le moindre rôle dans sa décision de l'épouser. D'ailleurs, les émotions n'avaient jamais joué le moindre rôle dans sa vie. S'il avait appris une chose en grandissant, c'était que de leur faire confiance représentait l'assurance d'aller dans le mur. N'était-ce pas ce qui était arrivé à son propre père, qui avait signé en toute confiance un contrat inique sans songer un seul instant à consulter un avocat ?

Dio avait appris très jeune à ne compter que sur la logique, sur les faits, sur le bon sens. Et sur l'argent. Car l'argent, c'était le pouvoir; et le pouvoir, la liberté.

La seule émotion que Dio s'était jamais autorisée, c'était son désir de vengeance. Et où l'avait-il mené ? A épouser une jeune femme qui s'était révélée complètement différente de ce qu'il avait cru, puis à lui prendre sa virginité. Un acte dont l'énormité le frappait à la lumière de ce jour nouveau avec la violence d'un train lancé à pleine vitesse.

— Je ne vais pas faire une rechute, répondit Lucy avec un rire incertain.

— J'espère. Tu sais que j'ai déjà dû reporter mon voyage à Hong Kong.

— Oui.

Lucy sentit des larmes lui brûler les yeux, mais elle parvint à les contenir. Dio n'était pas cruel, se rappela-t-elle. Seulement honnête.

— Je me suis excusée à plusieurs reprises. Je suis désolée d'avoir bouleversé tes plans.

Les dents serrées, Dio se frotta les joues en un geste de frustration pure. Il voyait, à l'affaissement des épaules de Lucy, qu'elle était sur le point de pleurer.

— Je ne te demande pas de t'excuser, dit-il. Je veille juste à ce que tu ne présumes pas de tes forces.

Lucy hocha la tête et mélangea des tomates dans la poêle en reniflant.

— Ne t'inquiète pas, je vais me ménager. Et si jamais je me sens un peu fatiguée, je ne t'ennuierai pas en te le disant. Tiens, c'est prêt. Pour ma part, je n'ai plus très faim.

Seigneur, quelle mouche l'avait piquée de descendre vêtue ainsi d'un simple peignoir ? Sa naïveté était embarrassante.

Lorsqu'elle se retourna, elle fut surprise de constater que Dio avait quitté son siège et se tenait juste derrière elle.

— Je ne suis pas fan des femmes qui pleurent, murmura-t-il.

— Tu as de la chance, moi non plus, riposta-t-elle d'une voix mal assurée.

Dio caressa les cheveux de Lucy et la laissa se blottir contre lui, malgré la petite voix qui lui soufflait qu'il s'agissait d'une mauvaise idée. Ils étaient à deux doigts de divorcer, et c'était très bien ainsi. Il n'était pas son prince charmant — il était même tout le contraire. Ce qu'il fallait à Lucy, c'était un homme qui lui ressemblait : doux, attentionné, quelqu'un qui croyait en l'amour et aux contes de fées. L'une des bonnes âmes avec lesquelles elle travaillait, par exemple. Ils pourraient cuisiner ensemble, se blottir devant la télé le soir venu, vêtus d'un gros chandail en laine, avec un chien, un chat et des enfants sur les genoux. Bref, Dio n'avait pas le profil du candidat idéal et n'avait pas l'intention de le devenir.

L'attitude la plus sensée, désormais, était d'éloigner Lucy de lui. Mais lorsqu'elle était si proche, et si court vêtue, il lui était difficile de mettre en pratique ses bonnes résolutions…

Sans conviction, Dio essaya de reculer de quelques centimètres, mais sa femme s'accrocha à lui.

— Tu crois que je te reproche le report de mon voyage à Hong Kong, c'est ça ?

— Non, répondit-elle contre son épaule.

— Pourtant, tu sais que mon travail, c'est ma vie.

Deux semaines plus tôt, Lucy aurait pris une telle déclaration au sérieux. A présent, elle savait que son mari n'était pas un homme aussi monolithique qu'elle l'avait supposé. Il était capable de douceur, de sensibilité, d'humour. Une chaleur dont personne ne soupçonnait l'existence se cachait derrière cette intimidante façade.

Et une partie d'elle-même avait dû le sentir — sinon, pourquoi aurait-elle continué à l'aimer malgré les mille avanies qu'elle avait essuyées ?

Si elle le laissait faire, il partirait, elle le sentait. Mais était-ce *vraiment* ce qu'il voulait ? Allait-elle le laisser faire sans se battre ? Pourquoi, après ces derniers jours, ne pas donner une chance à leur mariage ? Ils la méritaient tous les deux.

Elle bougea légèrement contre lui, et son peignoir s'ouvrit. Elle ne fit rien pour le refermer…

Dio frémit en sentant les seins de Lucy contre son torse. Il n'eut qu'à baisser les yeux pour apercevoir leur courbe parfaite. Tout ce qu'il avait à faire, c'était d'y glisser la main…

— Touche-moi, murmura Lucy.

Pourtant déjà choquée par sa propre audace verbale, elle le prit par le poignet et guida sa main sous la soie. Le tremblement qui parcourut le corps de Dio lui arracha une satisfaction sourde. L'excitation lui embrasait le bas-ventre. Elle voulait s'offrir à son mari, pleinement. Jusqu'à présent, elle avait toujours rechigné à s'exposer en pleine lumière, insistant pour tirer les rideaux même en plein jour. Mais à présent…

Dio allait retirer la main de la peau brûlante de Lucy quand celle-ci désigna d'un signe de tête les portes ouvertes sur l'extérieur, en haussant un sourcil suggestif. Il déglutit péniblement, obsédé par la tension presque intolérable qui palpitait dans son jean. Si elle avait essayé de l'entraîner vers la chambre, si elle s'était montrée un tant soit peu prévisible, il aurait peut-être trouvé la force de résister. Mais cette hardiesse inattendue lui compliquait la tâche.

— Tu aimes faire l'amour dans la pénombre, lui rappela-t-il en guise de baroud d'honneur.

— J'ai peut-être envie d'essayer autre chose…

Lucy prit une profonde inspiration, puis fit glisser son peignoir à terre. Les narines de Dio frémirent, son regard s'assombrit. Jamais elle n'avait eu autant envie de lui, un désir qu'elle devinait mutuel.

— Luce…

— Je veux faire l'amour sur la plage, annonça-t-elle, luttant désespérément contre l'instinct qui lui criait de se rhabiller.

Dio chassa ses derniers doutes. Après tout, Lucy et lui n'étaient-ils pas encore en lune de miel ? Comment un homme fait de chair et de sang pourrait-il résister à ces seins parfaits, à ces jambes interminables ? Comment pourrait-il ne pas se laisser tenter par cette peau d'albâtre ? Non, il serait ridicule — et insultant pour elle — de refuser ce qu'elle lui offrait sur un plateau d'argent. Il savait que sa femme manquait de confiance en elle et ne voulait pas l'offenser en la repoussant. Oui, c'était une très bonne raison d'accepter, décida-t-il. Il ne faisait que se montrer chevaleresque, rien de mal à cela, si ?

Il ôta son T-shirt et s'avança vers Lucy. Arrivé à sa hauteur, il lui caressa la joue d'une main mal assurée.

— Tu es sûre ?

— Certaine. Et toi ?

Dio acquiesça. Il n'avait jamais été aussi sûr de quoi que ce soit de sa vie entière.

Le soleil brillait de tous ses feux lorsqu'ils émergèrent de la villa. Après deux jours au lit, Lucy avait presque oublié la beauté de la crique. Le sable était d'un blanc éclatant, l'eau si cristalline que l'on pouvait compter

135

les galets polis qui recouvraient le fond. La brise qui caressait ses seins nus lui arracha un rire extatique. Elle se tourna vers Dio, une main dans les cheveux pour les empêcher de lui fouetter le visage. Il était d'une telle beauté qu'elle en eut le souffle coupé.

D'un mouvement souple, il se débarrassa de son jean. Lucy rougit comme une pivoine en constatant qu'il ne portait rien dessous et ôta à son tour sa culotte de dentelle. Elle tenta de l'envoyer d'un coup de pied rejoindre au sol le jean de Dio, mais une subite rafale l'emporta et la fit s'échouer dans l'eau. Son mari éclata de rire, puis l'attira à lui ; son érection lui pulsait contre le ventre.

— D'où te vient cette soudaine audace ? demanda-t-il. Qu'est-il arrivé à la jeune femme timide qui ne pouvait faire l'amour que rideaux tirés ?

— Il faut croire que tu as éveillé mon sens de l'aventure…

Dio se figea en songeant qu'un autre homme allait bientôt profiter de cette nouvelle Lucy. Il regrettait presque tout à coup la jeune femme prude qui n'osait se déshabiller que dans le noir.

Cette bouffée de jalousie fut heureusement de courte durée. Il lui prit les seins dans les mains et en fit doucement rouler les pointes entre ses doigts.

— Le sable n'est pas très confortable pour ce genre d'activité, déclara-t-il. Le mieux, c'est que tu restes debout. Je m'occupe du reste…

Il se mit à genoux et lui saisit les hanches. Puis il posa les lèvres contre son sexe. Avec un hoquet de plaisir, Lucy renversa la tête en arrière. Elle s'abandonna aux caresses expertes de la langue de son amant, les doigts glissés dans ses cheveux. Le visage caressé par le soleil, elle jouit en quelques minutes. Elle eut à peine le temps de réaliser que Dio la soulevait déjà. D'instinct, elle noua les jambes autour de sa taille et l'accueillit en elle avec un soupir d'aise.

Il n'avait pas mis de préservatif, nota-t-elle tout en lui mordant l'épaule pour ne pas crier. C'était inhabituel de la part d'un homme si prudent. Mais elle ne s'attarda pas sur ce constat, sombrant dans le plaisir à mesure que Dio accélérait ses assauts. Bientôt, une nouvelle vague d'extase la balaya, annonciatrice d'un second orgasme. Dio jouit en même temps qu'elle, en de longs spasmes au creux de son ventre.

Remis de leurs émotions, ils allèrent nager, puis s'allongèrent sur le sable. Lucy laissa la brise la sécher, tout en se demandant comment aborder le sujet de leur relation. Même Dio ne pouvait pas ignorer que la donne avait changé. Ils n'avaient pas parlé de divorce depuis plusieurs jours. Sa maladie avait été semblait-il un mal pour un bien. Elle lui avait permis d'ouvrir les yeux. En était-il de même pour lui ? Il n'était peut-être pas très doué pour exprimer ses émotions, mais cela ne signifiait pas qu'il en était dépourvu.

Elle glissa les doigts entre les siens, les yeux levés vers les palmes de cocotier qui les protégeaient des ardeurs du soleil.

— Je devrais m'excuser, déclara Dio avant qu'elle puisse parler.

Lucy tourna la tête vers lui, surprise.

— Pourquoi ?

— J'ai oublié de me protéger.

Il se leva, furieux contre lui même maintenant que son cerveau s'était remis à fonctionner.

— Tu pourrais tomber enceinte.

Ces paroles firent à Lucy l'effet d'une douche glaciale. Avait-elle pu se tromper à ce point sur son compte ? Il dut remarquer que le sang avait quitté son visage car il se gratta le menton avec une grimace.

— Je suis désolé si ça te paraît dur, ajouta-t-il.

Bon sang, pourquoi avait-il cédé à son désir ? Il s'était inventé des excuses ridicules pour pouvoir toucher Lucy une dernière fois et il s'en voulait. Il regrettait presque qu'elle ne soit pas la mercenaire qu'il avait toujours cru qu'elle était. Au moins, sa conscience l'aurait laissé tranquille. Mais il avait profité d'une innocente, d'une femme qui devait déjà se faire des idées sous prétexte qu'il avait été son premier amant.

— Je suis sûr que tu n'as pas envie de tomber enceinte, enchaîna-t-il en se dirigeant vers la maison. Ce ne serait pas idéal, juste avant de divorcer. Ça ne ferait que compliquer les choses.

— Tu… tu n'as pas à t'en faire. Nous nous sommes laissé emporter. Mais je suis sûre que tout ira bien.

Le réveil était si brutal, après les rêves qu'elle avait nourris, que Lucy se demanda un instant si sa fièvre n'avait pas repris. Mais elle savait que la souffrance qui la déchirait n'était pas due cette fois à un virus.

— Comment peux-tu faire ça, Dio ? s'entendit-elle demander.

Il s'arrêta net et se retourna, le visage fermé.

— Faire quoi ?

— Nous avons fait l'amour…

Dio sentit, au plus profond de lui-même, quelque chose se briser. Il lutta de toutes ses forces contre le caractère inéluctable de ce qui lui arrivait.

— Nous sommes venus précisément pour ça, martela-t-il. Pour profiter de notre lune de miel.

— Je le sais bien !

— Alors quel est le problème ?

Voilà où sa vengeance l'avait conduit, comprit-il enfin. A cette impasse, à ce sentiment d'être, pour la première fois de sa vie, complètement impuissant. Il avait toujours cru son cœur immunisé contre la souffrance, figé dans une gangue de glace. Il découvrait que ce n'était pas le cas.

— *Quel est le problème* ? Tu ne ressens donc rien ?

Lucy tentait de contenir ses émotions ; hélas, elle savait le combat perdu d'avance. Mais le gouffre qui s'ouvrait sous ses pieds la terrifiait davantage que la perspective de passer pour une imbécile désespérée.

Les poings serrés, Dio réprima une nouvelle vague d'émotion. La douleur de sa femme était sincère, il le voyait bien. Mais il savait qu'elle passerait, et qu'un mépris glacial lui succéderait bientôt. Et ce mépris, il le méritait. Il en avait la certitude, tout comme il était certain que la nuit succédait au jour.

— Notre lune de miel est terminée, annonça-t-il avec l'étrange impression de mâcher des éclats de verre. Nous nous sommes bien amusés. Maintenant, nous pouvons enfin divorcer.

10.

Lucy tourna sur elle-même pour étudier l'appartement où elle habiterait désormais. Elle aurait dû se réjouir. Lorsqu'elle avait décidé de demander le divorce, deux semaines plus tôt, c'était le dénouement qu'elle avait espéré.

Non, corrigea-t-elle mentalement. C'était bien mieux que ce qu'elle avait espéré. Dio avait tenu toutes ses promesses, un fait d'autant plus admirable que rien ne l'y obligeait. Comme l'avocat de Lucy l'avait confirmé, elle avait signé un contrat de mariage qui stipulait qu'elle partirait sans rien en cas de séparation. Dio s'était donc montré plus que généreux en achetant le magnifique appartement dans lequel elle se tenait. Il était situé dans un quartier recherché et elle adorait la façon sobre et élégante dont il l'avait fait décorer. Elle se demandait encore comment il avait pu tout organiser si vite, surtout depuis l'étranger.

Toutefois, après avoir passé un an avec lui, elle était bien placée pour savoir que l'argent facilitait bien des démarches. Quand Dio voulait quelque chose, il l'obtenait. Dans ce cas précis, à en juger par la diligence avec laquelle il avait organisé son déménagement, il avait voulu hâter leur séparation.

Lucy s'assit sur l'un des cartons qui encombraient le salon et laissa son regard s'évader par la fenêtre. Le ciel plombé qui pesait sur la ville reflétait parfaitement son humeur. Pourtant, elle aurait dû se réjouir. Elle n'aurait jamais le moindre souci d'argent, et l'école qui lui tenait tant à cœur était en cours de rénovation. Les travaux allaient en faire l'un des établissements les plus recherchés de l'est londonien, qui attirerait sans doute de nombreux autres élèves en difficulté. Il leur servirait de tremplin pour une vie meilleure. Lucy s'était aussi inscrite à une formation, à l'issue de laquelle elle obtiendrait son diplôme d'enseignante — l'un de ses rêves les plus chers. Oui, elle aurait dû être heureuse…

Avec un soupir, elle se leva et alla regarder la rue en contrebas. Pendant quelques heures, elle avait cru à un avenir meilleur. Quelle idiote ! Dio ne s'était peut-être pas servi d'elle, mais cela ne signifiait pas pour autant qu'il l'aimait. Il ne l'avait épousée que parce qu'il la désirait, le seul fait incontestable de leur relation. S'il se souciait de son bien-être matériel dans ce divorce (il avait par exemple insisté pour qu'elle emporte tous ses bijoux), il ne semblait pas accorder la même importance à son bien-être moral.

Elle se remit sans enthousiasme à déballer des cartons, mais fut bientôt interrompue par la sonnerie modulée du visiophone de l'entrée. S'arrachant à ses lamentations sur la tournure prise par sa vie, elle alla répondre.

Même si elle avait espéré voir Dio, elle fut surprise de découvrir son image granuleuse sur le petit écran. Il regarda impatiemment autour de lui, puis leva les yeux vers la caméra.

— Tu vas me faire entrer ? demanda-t-il comme elle le fixait sans un mot.

Lucy reprit enfin ses esprits, du moins assez pour demander :

— Qu'est-ce que tu fais là ?

— Je suis venu pour…

Pour quoi, au juste ? Dio l'ignorait.

— Ouvre-moi, Luce, reprit-il, agacé. J'ai besoin de te parler.

— C'est au sujet du divorce ? Je croyais que tout était clair.

— Ouvre, je te dis. Je n'ai pas particulièrement envie de m'entretenir avec ton visiophone.

Lucy n'avait pas plus envie de lui parler face à face que lui n'en avait envie par caméra interposée, mais elle appuya sur le bouton, supposant qu'il venait s'assurer qu'elle était bien installée. Elle était sûre qu'il allait se montrer affable, une perspective qui la faisait déjà grincer des dents...

— Quand es-tu rentré ? demanda-t-elle sitôt qu'elle lui ouvrit la porte de l'appartement.

La fin de la question se perdit dans un murmure. Jamais Dio ne lui avait paru plus séduisant. Ses cheveux noirs coiffés en arrière et son visage aux angles durs lui rappelaient douloureusement leurs moments de passion — cette passion torride à laquelle avait succédé une courtoise indifférence.

— Il y a une heure et demie, répondit-il.

— Et tu es venu tout droit ici ?

— Je n'aime pas perdre de temps.

— Perdre de temps ? répéta Lucy sans comprendre.

Elle fut déroutée de constater qu'elle transpirait et que ses mains tremblaient. Elle s'empressa de les cacher derrière son dos, puis se lança dans une tirade nerveuse pour exprimer sa reconnaissance : l'appartement était merveilleux ; non, elle n'avait pas encore eu le temps de tout déballer ; voulait-il boire quelque chose ?

Dio étudia distraitement les lieux avant de reporter son attention sur son épouse. Ses cheveux s'échappaient de sa queue-de-cheval, elle portait un jean déchiré et un T-shirt sali par la poussière des cartons. Bref, elle était à mille lieues de la femme toujours impeccable des dix-huit derniers mois. Pourtant, il ne l'avait jamais trouvée aussi belle...

Elle semblait également nerveuse, mais il était prêt à parier qu'il l'était davantage. C'était une sensation nouvelle, et il n'y avait qu'une personne au monde susceptible de le mettre dans un tel état. Cette personne le regardait d'un air craintif en cet instant précis.

— Tu as eu tes règles ?

— Je... Pardon ? bredouilla-t-elle d'un ton ahuri.

— Nous avons fait l'amour sans protection, tu te rappelles ?

— Tu es venu droit de l'aéroport pour t'assurer que je n'étais pas enceinte ? répliqua-t-elle, tout en colère rentrée.

Dio haussa les épaules et se renfrogna. Lucy croisa les bras, un sourire amer aux lèvres. Il n'était pas venu voir si elle était bien installée, mais pour s'assurer qu'un grain de sable n'allait pas gripper la machine bien huilée de leur divorce. Un enfant aurait évidemment changé la donne.

— Si tu étais paniqué, tu aurais pu téléphoner.

— Pourquoi paniquerais-je à l'idée que tu sois enceinte ?

Ce n'était pas la réponse qu'elle avait attendue, mais Lucy étouffa l'étincelle d'espoir qui brasillait en elle. La dernière fois qu'elle avait fait preuve d'optimisme, le résultat avait été désastreux.

Dio s'assit dans un fauteuil posé au milieu du salon, puis lui désigna son jumeau.

— Si tu t'asseyais ?

— Pourquoi ? Tu m'as dit ce que tu voulais me dire. L'affaire est réglée.

— Loin s'en faut, murmura Dio en se penchant en avant, les avant-bras sur les cuisses.

Il semblait chercher ses mots. Or Lucy n'avait jamais vu son mari hésiter. Même lorsqu'elle avait demandé le divorce, il avait réagi en une fraction de seconde en lui proposant un pacte insensé — sa signature contre une lune de miel.

— Je ne comprends pas, soupira-t-elle.

— Je ne t'ai pas épousée à cause de tes origines sociales, Lucy.

— Je le sais, tu me l'as dit. Je te crois.

— Ce qui ne signifie pas pour autant que mes intentions étaient honorables.

— Dio, je ne comprends rien à ce que tu racontes, s'exaspéra-t-elle en levant les yeux au ciel. Si tu allais droit au but ?

— C'est une longue histoire.

Dio soupira, puis fixa son regard gris clair sur elle. L'incertitude se lisait sur son visage.

— Ton père ne m'était pas inconnu quand j'ai décidé d'acheter sa société, lâcha-t-il enfin.

— Comment ça ?

— Nos pères se connaissaient. Ils étaient à l'université ensemble. Le mien était un étudiant brillant et fauché, le tien un fêtard et un play-boy. Je pense que ton père impressionnait le mien par son assurance, son train de vie. Un jour, mon père lui a présenté une de ses inventions, et Robert Bishop a décidé d'investir dedans. Il lui a tout pris. Il s'est enrichi sur son dos pendant que nous vivions dans le dénuement le plus complet. Je me suis juré qu'un jour, je me vengerais. Je suis allé à l'université, j'ai étudié dur, j'ai gagné de l'argent. Puis j'ai attendu, comme une araignée dans sa toile. Je savais que ton père avait un problème de boisson et qu'il puisait dans les caisses de son entreprise. Au moment opportun, j'ai frappé. Je lui ai proposé d'acheter sa société. La conversation que tu as surprise, c'est le moment où je lui ai révélé qui j'étais…

Lucy secoua la tête, tentant de faire le tri dans cette déferlante de révélations.

— Mais… il avait dû bien reconnaître ton nom ?

— Bien sûr. Mais il était tellement arrogant qu'il s'était dit que là encore, il allait ramasser le jackpot. Il a dû s'imaginer que je ressemblais à mon père.

— Donc, si tu es sortie avec moi…

— Je n'avais pas prévu de le faire. Je ne savais même pas que tu existais. La vie privée de Robert ne m'intéressait pas, c'était à son entreprise que j'en voulais. Notre histoire était un accident du hasard.

— Que mon père a encouragé, conclut Lucy, effarée.

— Oui. Je suppose qu'il voulait se servir de toi pour m'arracher des termes plus favorables. Et, au début, je lui ai laissé miroiter cette possibilité. J'appréciais d'être avec toi, je voulais en profiter un peu.

— En profiter un peu…, répéta Lucy, cherchant une explication dont elle savait d'avance qu'elle lui déplairait. Mais tu n'avais pas l'intention de m'épouser ?

Dio avait conclu des affaires de haut vol, investi des millions sur un coup de tête, mais jamais il ne s'était senti aussi nerveux.

— Non, confessa-t-il.

— Tu voulais t'amuser avec moi, puis me jeter comme un vieux mouchoir pour te concentrer sur ta vengeance.

— En gros, oui.

— Qu'est-ce qui t'a fait changer d'avis ? Oh ! je vois… Tu t'es dit que si tu pouvais avoir *et* l'entreprise *et* la fille de Robert Bishop, pourquoi t'en priver ?

Les yeux baissés, Dio ne répondit rien. La vengeance qui avait si longtemps guidé sa vie lui paraissait désormais vide de sens.

Lucy se leva d'un bond, hors d'elle, et se mit à arpenter la pièce, slalomant entre les piles de carton.

— Comment as-tu pu faire ça ?

Dio lui agrippa le poignet et l'attira, si vivement qu'elle s'affaissa contre lui. Mais elle se dégagea presque aussitôt, tremblante de colère et d'humiliation. Elle avait une envie furieuse de le gifler et dut serrer les poings pour contrôler sa rage.

— Et moi qui pensais m'être trompée sur ton compte…

— Je le sais. Tout comme je savais que la vérité te ferait souffrir. C'est ça qui m'a poussé à partir, à te tourner le dos. Pour ne pas avoir à te faire de peine.

— Oh ! comme c'est magnanime, ricana-t-elle.

Dio se leva et glissa un bras derrière sa taille. Lucy eut beau résister, elle n'était pas de taille à lutter.

— Magnanime, mais impossible au final, murmura-t-il. La preuve, je suis là.

— Tu aurais pu me laisser dans l'ignorance.

— Tu méritais de connaître la vérité, Luce. D'autant que…

Il s'interrompit, secoua la tête et relâcha brusquement Lucy. Après d'interminables secondes de paralysie, elle retrouva le contrôle de ses muscles et alla s'asseoir sur un carton. De là, elle le foudroya du regard.

— D'autant que quoi ? interrogea-t-elle, se demandant combien d'autres surprises il avait en réserve.

— Ce n'est pas tout ce que j'avais à te dire.

— C'est ce que je redoutais, oui.

— Je pensais t'avoir épousée pour parfaire ma vengeance, poursuivit son mari comme si elle n'avait rien dit. Je n'ai pas compris, à l'époque, que mes sentiments pour toi n'avaient rien à voir avec ma haine pour ton père.

— Oh ! par pitié…

— Je savais que je te désirais, coupa-t-il, mais je ne m'étais pas rendu compte qu'il y avait bien davantage. Voilà pourquoi je t'en ai voulu quand tu m'as rejeté sitôt le mariage prononcé. J'ai cru que tu m'avais manipulé, que tu étais complice des manigances de ton père. Tu lui as sauvé la mise. C'est pour toi que je ne l'ai pas dénoncé aux autorités.

— Je… Pour moi ? balbutia-t-elle. Pourquoi ?

— Parce que j'étais amoureux de toi, même si je ne m'en rendais pas compte.

Lucy eut l'impression d'être changée en statue. Dio, amoureux d'elle ?

— Voilà pourquoi je suis venu, poursuivit-il. Pour tout te dire. Si je t'ai laissée partir, c'est que je ne savais pas comment te retenir, pas après tout ce qui s'était passé.

Dio fixa celle qu'il considérait encore comme sa femme, attendant sa réponse le cœur battant. Si elle le repoussait… Non, il ne pouvait pas y penser !

— Quand tu dis que tu es amoureux de moi…

— Je veux passer le restant de mes jours à tes côtés, Lucy. Je ne veux pas divorcer. Bien sûr, si tu insistes, je t'accorderai tout ce que tu demandes. Peut-être déciderai-je alors de te poursuivre sans relâche, jusqu'à ce que tu changes d'avis. Je dois te prévenir : je suis très têtu.

Après ce qui lui parut une éternité, un sourire vacillant apparut sur les lèvres de Lucy.

— Je… je n'en crois pas mes oreilles, avoua-t-elle enfin. Je suis tombée amoureuse de toi dès l'instant où

148

tu es entré dans ma vie. J'ai eu l'impression ce jour-là de me réveiller. Et je n'ai jamais songé que ce qu'il y avait entre nous pouvait ne pas être réel. J'étais tellement inexpérimentée… Quand j'ai surpris cette conversation, et que mon père a confirmé mes pires craintes, j'ai cru mourir. J'avais l'impression d'avoir été achetée, comme un vulgaire bibelot.

— C'est ma faute, Luce. Je me suis montré arrogant. Je pensais que pour trouver l'amour, il fallait le chercher. Je ne m'attendais pas à ce qu'il me tombe dessus à l'improviste.

— Et je me suis retrouvée obligée de jouer un rôle. De prétendre quotidiennement que je ne t'aimais pas, alors que j'étais folle de toi.

— Je comprends. Tu as voulu échapper à cette prison dorée.

— Oui. Jusqu'à notre lune de miel, en tout cas. Tous les sentiments que j'avais enfouis sont alors remontés à la surface. C'est là que j'ai compris ce qui m'arrivait…

— Mon amour, que de temps perdu ! Mais je te promets que si tu m'en donnes la chance, je compte bien le rattraper.

— Je t'aime, Dio.

Son mari lui prit les deux mains, la fit se lever et l'attira contre lui. Ses yeux plongèrent dans les siens, vernis de larmes inattendues.

— La vengeance n'est pas une émotion très honorable, murmura-t-il. Mais si c'était à refaire, je ne changerais rien. C'est grâce à elle que je t'ai trouvée, Lucy.

Sans la quitter des yeux, il s'agenouilla et la dévisagea, avec une telle tendresse qu'elle sentit son cœur fondre.

— Mon amour, ma presque ex-femme, puis-je te demander de ne pas divorcer ?

— Je ne pensais pas recevoir un jour une demande en mariage aussi tordue que ça, fit Lucy en riant.

Son cœur prit son envol et elle glissa les doigts dans les cheveux de son mari.

— Comment puis-je refuser ? Le passé est oublié. L'avenir nous appartient.

Elle se pencha, l'embrassa et murmura tout contre ses lèvres :

— Mon merveilleux et adoré mari. Pour toujours…

Retrouvez en avril,
dans votre collection

Azur

Le prix du secret, de Dani Collins - N°3815

ENFANT SECRET

« *Je serai à Londres dans quelques heures.* » À l'instant où elle découvre le message laconique que César Montero, son ex-fiancé, lui a envoyé, Sorcha sent une angoisse sourde l'envahir : a-t-il appris qu'elle venait de mettre au monde leur enfant ? Quelques mois plus tôt, rejetée par la famille de César – qui lui avait craché au visage qu'elle n'était qu'une grossière erreur dans le parcours du brillant homme d'affaires –, elle était persuadée d'avoir pris la bonne décision en lui cachant qu'elle était enceinte. Mais aujourd'hui, terriblement affaiblie, elle ne peut s'empêcher de douter. Car, elle le sait, César déteste voir les choses échapper à son contrôle et n'hésitera certainement pas à se venger d'elle...

Troublante surprise, d'Annie West - N°3816

Elle est... enceinte ? Partagée entre incrédulité et angoisse, Imogen ne sait comment réagir lorsqu'elle apprend cette surprenante nouvelle. La nuit de passion qu'elle a passée quelques semaines plus tôt entre les bras de l'irrésistible Thierry Girard était censée rester exceptionnelle et sans suite ! Pourtant, cet enfant qui grandit en elle, elle l'aime déjà de tout son cœur. Hors de question de le priver de la vie heureuse qu'il mérite ! Résolue à aller trouver Thierry pour lui annoncer sa future paternité, elle ne peut cependant s'empêcher de redouter la réaction de cet incorrigible séducteur, qui a toujours affirmé que jamais il ne s'engagerait avec une femme...

Un si délicieux chantage, de Lynne Graham - N°3817

INDOMPTABLES MILLIONNAIRES

Delilah peine encore à croire au scandaleux chantage que lui impose l'odieux Bastien Zikos : si elle veut éviter qu'il ne vende son entreprise familiale à un promoteur immobilier, elle devra devenir sa maîtresse... Comment ose-t-il ? Cet homme n'a-t-il donc aucune limite ? Révoltée à l'idée d'être traitée comme une vulgaire marchandise, Delilah n'a qu'un souhait : refuser ce marché abject. Mais comment le pourrait-elle alors que l'avenir de sa famille est en jeu, et que le charme de cet homme d'affaires intraitable la trouble au plus haut point, malgré ce qu'elle tente de lui faire croire ?

 *Azur*

Défiée par un séducteur, d'Avril Tremayne - N°3818

Impossible. C'est le premier mot qui vient à l'esprit de Sunshine lorsqu'elle se voit confier, en même temps que Leo Quatermaine, l'organisation du mariage de leurs meilleurs amis respectifs. Jamais elle ne parviendra à collaborer avec cet homme arrogant et rabat-joie, qui passe son temps à la contredire ! Plus les préparatifs avancent et plus Sunshine en est persuadée : Leo s'est donné pour mission de lui compliquer la vie. Et le charme absolument désarmant qui le caractérise ne simplifie en rien la situation… Mais, pour Sunshine, il est hors de question de se laisser troubler par ce bourreau des cœurs si exaspérant !

L'étreinte interdite, d'Anne Mather - N°3819

Le soir où elle fait la connaissance de Jack Connolly, Grace comprend que la comédie qu'est devenue sa vie depuis quelques mois doit prendre fin. Car, face au séduisant milliardaire, prétendre être en couple avec Sean Nesbitt, un homme odieux qu'elle déteste, se révèle être un véritable supplice. Seulement, Grace n'a pas le choix : un seul faux pas de sa part et la fortune de sa famille, dont Sean s'est sournoisement accaparé, risque de disparaître à jamais. Alors, quand Jack lui demande de l'accompagner visiter un cottage qu'il envisage d'acheter, Grace hésite. Elle devrait refuser, elle le sait. Mais elle lit dans le regard de Jack la promesse d'un plaisir qu'elle n'a encore jamais connu, et l'attrait de l'interdit lui semble tout à coup absolument irrésistible…

La vengeance de Lazaro Herrera, de Jane Porter - N°3820

Lazaro Herrera ! En découvrant l'identité de son ravisseur, Zoé sent le souffle lui manquer. L'homme qui l'a si honteusement kidnappée n'est autre que le beau-frère de sa sœur ! Dans son regard, elle lit une colère froide qui ne laisse pas l'ombre d'un doute : elle est l'instrument parfait de sa vengeance, puisque, en s'en prenant à elle, il ne manquera pas d'atteindre sa sœur et son mari, à qui il reproche d'avoir gâché sa vie. Face à cet homme si ténébreux, Zoé se sent démunie… mais aussi terriblement confuse. Car, lorsque Lazaro s'approche d'elle, l'alchimie qui opère entre eux se fait dangereusement tentatrice…

Un cheikh pour ennemi, de Michelle Conder - N°3821

LES PRINCES DU DÉSERT

Captive, à la merci de son ennemi juré… Alors qu'elle vient d'être enlevée par Zachim al-Darkhan, le futur cheikh de Bakaan, Farah vibre de rage : certes, Zachim cherche à se venger de son père, qui a tenté de le kidnapper. Mais pourquoi faut-il que ce soit elle qui paie l'inconséquence de sa famille ? La seule idée d'être la prisonnière de cet homme qu'elle hait plus que tout et qui ne la considère que comme un vulgaire objet la révolte ! Une colère qui monte en puissance lorsque l'arrogant prince lui annonce sans préambule qu'il la prendra pour épouse, qu'elle le veuille ou non…

Une héritière tant désirée, de Melanie Milburne - N°3822

SÉRIE : SCANDALE CHEZ LES RAVENSDALE - 4ᴱ VOLET

Pourquoi Flynn Carlyon s'entête-t-il à ce point ? Depuis que Kat a découvert l'identité de son père, l'avocat des Ravensdale ne cesse de l'importuner pour qu'elle prenne la place qui lui revient au sein de la célèbre famille. Seulement, pour Kat, il est hors de question de renoncer à sa tranquillité pour des gens qui n'ont eu que faire d'elle durant toutes ces années. Elle se débarrassera donc de Flynn, et au plus vite. Car, en plus d'être l'homme le plus mystérieux qu'elle ait jamais rencontré, il est aussi, et surtout, le plus séduisant. Or Kat ne peut le nier : elle risque à tout moment de succomber à son charme dévastateur et de revêtir, bien malgré elle, l'aura de scandale des Ravensdale...

Quand l'amour fait loi, de Michelle Smart - N°3823

SÉRIE : LA FIERTÉ DES KALLIAKIS - 3ᴱ VOLET

Lorsque Helios, l'autoritaire prince d'Agon, lui annonce que, bien qu'il doive épouser sous peu une femme de sang royal, il souhaite la garder comme maîtresse, Amy manque de s'effondrer. Depuis trois mois, leur relation est à la fois torride et sereine, sans attentes ni inhibitions : de la passion pure. Mais aujourd'hui, alors que la réalité la rattrape, Amy se sent incapable d'y faire face. Même si elle savait que le mariage arrangé d'Helios était inévitable, l'idée de le partager avec une autre femme lui est désormais insupportable. Choisissant de braver la volonté du prince tout-puissant, elle décide alors de le quitter, au péril de sa vie...

La fiancée insoumise, de Kate Hewitt - N°3824

SAGA : LE ROYAUME DES KAREDES - 4ᴱ VOLET

Depuis son plus jeune âge, la princesse Kalila sait qu'elle devra épouser le roi de Calista, Zakir. Pourtant, elle ne peut se résoudre à ce mariage forcé, uniquement dicté par des ambitions politiques. Partagée entre sa soif de liberté et son devoir envers son peuple, Kalila accepte malgré tout de suivre Aarif, le frère du roi, venu l'escorter jusqu'à Calista. Aux côtés de cet homme mystérieux, au charme irrésistible, Kalila comprend qu'elle ne désirera jamais Zakir comme elle le désire, lui. Désespérée à l'idée de passer son existence auprès d'un homme qu'elle n'aime pas, elle préfère fuir en plein désert...

OFFRE DE BIENVENUE

Vous êtes fan de la collection Azur ?
Pour prolonger le plaisir, recevez gratuitement

◆ 2 livres Azur gratuits ◆
et 2 cadeaux surprise !

Une fois votre colis de bienvenue reçu, si vous souhaitez continuer à recevoir nos romans Azur, cela se fera automatiquement. Vous recevrez alors chaque mois 6 romans inédits de cette collection au tarif unitaire de 4,40€ (Frais de port France : 1,79€ - Frais de port Belgique : 3,79€).

➡ **ET AUSSI DES AVANTAGES EXCLUSIFS :**

➡ **LES BONNES RAISONS DE S'ABONNER :**

Aucun engagement de durée ni de minimum d'achat.
◆
Aucune adhésion à un club.
◆
Vos romans en avant-première.
◆
La livraison à domicile.

Des cadeaux tout au long de l'année.
◆
Des réductions sur vos romans par le biais de nombreuses promotions.
◆
Des romans exclusivement réédités notamment des sagas à succès.
◆
L'abonnement systématique et gratuit à notre magazine d'actu ROMANCE.
◆
Des points fidélité échangeables contre des livres ou des cadeaux.

➡ **REJOIGNEZ-NOUS VITE EN COMPLÉTANT ET EN NOUS RENVOYANT LE BULLETIN**

✂ -

N° d'abonnée (si vous en avez un) ⊔⊔⊔⊔⊔⊔⊔⊔⊔⊔   `ZZ7F09` `ZZ7FB1`

Mme☐ Mlle☐ Nom : .... Prénom : ....

Adresse : ....

CP : ⊔⊔⊔⊔⊔   Ville : ....

Pays : .... Téléphone : ⊔⊔⊔⊔⊔⊔⊔⊔⊔⊔

E-mail : ....

Date de naissance : ⊔⊔ ⊔⊔ ⊔⊔⊔⊔

☐ Oui, je souhaite être tenue informée par e-mail de l'actualité d'Harlequin.

☐ Oui, je souhaite bénéficier par e-mail des offres promotionnelles des partenaires d'Harlequin.

<u>Renvoyez cette page à</u> : **Service Lectrices Harlequin – CS 20008 – 59718 Lille Cedex 9 - France**

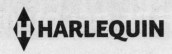

HARLEQUIN

La romance sur tous les tons

Toutes nos actualités et exclusivités
sont sur notre site internet.

E-books, promotions, avis des lectrices,
lecture en ligne gratuite, infos sur
les auteurs, jeux-concours… et bien
d'autres surprises !

Rendez-vous sur

www.harlequin.fr

facebook.com/LesEditionsHarlequin

twitter.com/harlequinfrance

pinterest.com/harlequinfrance

HARLEQUIN
www.harlequin.fr

OFFRE DÉCOUVERTE !

Vous souhaitez découvrir nos collections ? Recevez **votre 1ᵉʳ colis gratuit*** ave **2 cadeaux surprise !** Une fois votre colis de bienvenue reçu, si vous souhaite continuer à recevoir nos livres, cela se fera automatiquement. Vous recevrez alo vos livres inédits en avant première.

Vous n'avez aucune obligation d'achat et cette offre est sans engagement de durée

*1 livre offert + 2 cadeaux / 2 livres offerts pour la collection Azur + 2 cadeaux.

☛ **COCHEZ** la collection choisie et renvoyez cette page au
Service Lectrices Harlequin – CS 20008 – 59718 Lille Cedex 9 – France

Collections	Références	Prix colis France* / Belgique*
❏ AZUR	ZZ7F56/ZZ7FB2	6 livres par mois 28,19€ / 30,19€
❏ BLANCHE	BZ7F53/BZ7FB2	3 livres par mois 23,20€ / 25,20€
❏ LES HISTORIQUES	HZ7F52/HZ7FB2	2 livres par mois 16,29€ / 18,29€
❏ HORS-SÉRIE	CZ7F54/CZ7FB2	4 livres tous les deux mois 33,15€ / 35,15
❏ PASSIONS	RZ7F53/RZ7FB2	3 livres par mois 24,49€ / 26,49€
❏ NOCTURNE	TZ7F52/TZ7FB2	2 livres tous les deux mois 16,79€ / 18,79€
❏ BLACK ROSE	IZ7F53/IZ7FB2	3 livres par mois 24,49€ / 26,49€
❏ VICTORIA	VZ7F53/VZ7FB2	3 livres tous les deux mois 25,49€ / 27,49€

*Frais d'envoi inclus

N° d'abonnée Harlequin (si vous en avez un) ⎵⎵⎵⎵⎵⎵⎵⎵

Mᵐᵉ ❏ Mˡˡᵉ ❏   Nom : _____

Prénom : _____   Adresse : _____

_____

Code Postal : ⎵⎵⎵⎵⎵   Ville : _____

Pays : _____   Tél. : ⎵⎵⎵⎵⎵⎵⎵⎵⎵⎵

E-mail : _____

Date de naissance : _____

❏ Oui, je souhaite recevoir par e-mail les offres promotionnelles des éditions Harlequin.
❏ Oui, je souhaite recevoir par e-mail les offres promotionnelles des partenaires des éditions Harlequin.

Date limite : 31 décembre 2017. Vous recevrez votre colis environ 20 jours après réception de ce bon. Offre soumise à acceptation et réservée aux personnes majeures, résidant en France métropolitaine et Belgique, dans la limite des stocks disponibles. Prix susceptibles de modification en cours d'année. Conformément à la loi Informatique et libertés du 6 janvier 1978, vous disposez d'un droit d'accès et de rectification aux données personnelles vous concernant. Par notre intermédiaire, vous pouvez être amenée à recevoir des propositions d'autres entreprises. Si vous ne le souhaitez pas, il vous suffit de nous écrire en nous indiquant vos nom, prénom et adresse à : Service Lectrices Harlequin CS 20008 59718 LILLE Cedex 9.
Service Lectrices disponible du lundi au vendredi de 8h à 17h : 01 45 82 47 47 ou +33 1 45 82 47 47 pour la Belgique.

Harlequin® est une marque déposée du groupe HarperCollins France – 83/85, Bd Vincent Auriol – 75646 Paris cedex 13. SA au capital de 1 120 000€ – R.C. Paris, Siret 318 671591 00069/APE58.11Z.

Composé et édité par HarperCollins France.

Achevé d'imprimer en février 2017.

Barcelone

Dépôt légal : mars 2017.

Imprimé en Espagne.